Gourmands de nature

La cuisine en plein air, de la petite à la grande aventure

En couverture : Paysage d'hiver © Lyne Bujold ; Coucher de soleil au bord du lac © istockphoto.

Toutes les photos dont les crédits ne sont pas identifiés sont de l'auteure.

Direction éditoriale : Guylaine Girard
Direction de la production : Carole Ouimet
Direction artistique : Gianni Caccia
Retouche et traitement des photos : Bruno Lamoureux

Catalogage avant publication de Bibliothèque et Archives nationales du Québec et Bibliothèque et Archives Canada

Le Coz, Nathalie, 1957-

Gourmands de nature: la cuisine en plein air, de la petite à la grande aventure

ISBN 978-2-7621-2966-3

1. Cuisine en plein air. 2. Loisirs de plein air - Guides, manuels, etc. 3. Cuisine (Aliments sauvages). I. Titre.

TX823.L42 2009   641.5'782   C2009-940669-1

Dépôt légal : 2ᵉ trimestre 2009
Bibliothèque et Archives nationales du Québec
© Éditions Fides, 2009.

Les Éditions Fides reconnaissent l'aide financière du Gouvernement du Canada par l'entremise du Programme d'aide au développement de l'industrie de l'édition (PADIÉ) pour leurs activités d'édition. Les Éditions Fides remercient de leur soutien financier le Conseil des Arts du Canada et la Société de développement des entreprises culturelles du Québec (SODEC). Les Éditions Fides bénéficient du Programme de crédit d'impôt pour l'édition de livres du Gouvernement du Québec, géré par la SODEC.

IMPRIMÉ AU CANADA EN AVRIL 2009

NATHALIE LE COZ

Avec la collaboration de Nathalie Dumouchel et Sylvie Michaud

Gourmands de nature

La cuisine en plein air, de la petite à la grande aventure

Fides

Table des matières

Introduction

Ce livre aborde les plaisirs « de la table » dans un contexte un peu inhabituel, soit en plein air et le plus souvent en groupe. Bien qu'on y garde à l'œil les besoins énergétiques des amateurs de sports et qu'on y prône une saine alimentation, ce livre soutient des propos gastronomiques et non diététiques. Il s'adresse aux gens qui font des activités de fins de semaine en plein air et à ceux qui s'aventurent plus longtemps en autonomie. On y propose des menus et des façons de faire propres à toutes sortes de situations allant du court séjour en camping non loin de la voiture à la longue randonnée aux abords du cercle arctique.

Si la planification des repas pour ces deux types de sortie ne requiert pas la même logistique, elle demande tout de même de suivre certaines lignes directrices. Le menu doit ajouter au plaisir de la journée, permettre de retrouver l'énergie dépensée durant les activités sportives et s'adapter aux conditions de transport et de conservation des denrées. On souhaite, à la lecture de ce livre, que ce qui pouvait sembler un casse-tête au voyageur loin de sa cuisine lui apparaisse désormais comme un jeu, une expérience à renouveler à l'infini.

Je le déclare tout d'abord, notre expédition s'est faite sans accident. Nous n'avons pas péri, grâce à Dieu ! et nous n'en avons pas été non plus réduits à manger les cordons de nos souliers.

Joseph Royal, *La Vallée de la Mantawa: récit de voyage*, 1869.

Il existe relativement peu de livres de référence sur l'alimentation en plein air et pourtant, elle relève d'une tradition culinaire aussi lointaine que les origines des habitants de ce continent. Par des témoignages glanés dans les récits d'explorateurs qui ont arpenté ce pays et appris des peuples nomades qui l'habitaient, ce livre puise à même cette tradition. On ne s'y gêne toutefois pas pour multiplier les incursions dans une cuisine beaucoup plus éclectique, moderne ou d'origines diverses. Enfin, on y propose des grilles de menus types pour des séjours, été comme hiver, allant de la petite à la grande aventure.

Questions clés pour établir un menu

À l'approche d'un voyage en plein air sans accès au ravitaillement en épicerie, les préparatifs demandent réflexion. Des questions émergent invariablement.

Quelle est la durée du voyage ?

Quel type de voyage ? (canot, randonnée de ski, camping fixe au bord de l'eau…)

À quel moment de l'année ?

A-t-on accès à de l'eau potable ?

Combien de personnes sont du voyage ?

Quel est l'âge approximatif du groupe et quel est le nombre de personnes de chaque sexe ?

Y a-t-il des enfants ?

Quel est le budget ?

Quelqu'un a-t-il une allergie ou une intolérance alimentaire ?

Quelqu'un souffre-t-il de diabète, de troubles cardiaques, d'hypoglycémie, etc. ?

Y a-t-il des végétariens dans le groupe ?

Le poids et le volume de bagages sont-ils restreints ?

Le temps de préparation des repas a-t-il de l'importance ?

À quel mode de cuisson a-t-on accès ?

La quantité de combustible est-elle restreinte ?

Combien de casseroles et de poêlons peut-on apporter ?

Est-ce qu'on utilisera une cafetière et quel type ?

Pour résumer toutes ces questions, on peut anticiper le contexte du voyage en s'interrogeant sur les éléments suivants :

Eau – Feu – Poids/volume – Température/durée

Photo : Lyne Bujold

Sentier national au Témiscouata, 2007

Particularités ou contraintes générales

L'eau

Elle est vitale. On peut boire directement l'eau des ruisseaux et rivières et même des lacs en amont des zones habitées et dans des milieux où le castor est absent. Mais on ne peut le conseiller à qui que ce soit. La résistance au changement d'eau, aux bactéries et aux virus est d'une très grande variabilité d'une personne à l'autre et les conséquences peuvent être graves.

Des méthodes existent pour purifier l'eau dont on doute. Dans les commerces spécialisés en plein air, on trouve des filtres, de l'iode en pastilles qu'on laisse agir dans l'eau avant de la consommer ou encore des produits à base de nitrate d'argent, par exemple. La méthode la plus sûre consiste à faire bouillir l'eau de 5 à 10 minutes.

En hiver, si la source est difficile à repérer ou qu'elle est loin, on peut s'accommoder de neige fondue. Ce procédé demande toutefois beaucoup de combustible et de temps pour un résultat ne valant pas la fraîcheur de l'eau d'un ruisseau qui court sous la glace.

Manger de la neige déshydrate le corps qui dépense beaucoup d'énergie à la réchauffer.

TRUC ! Pour faire fondre la neige plus rapidement, on verse dans le chaudron l'eau qui reste dans les gourdes à la fin de la journée. On y ajoute la neige qu'on comprime bien. ■ La neige recueillie sous la croûte plus près du sol, déjà transformée en cristaux, fondra plus rapidement et produira une plus grande quantité d'eau.

TRUC ! Les gourdes à gros goulot sont de loin préférables l'hiver. Il est plus facile de casser la glace qui se forme à la surface de l'eau et elles se remplissent plus aisément une fois plongées dans un trou d'eau.

Lac du Lagopède dans les monts Otish, 2007

TRUC ! Il sera plus facile d'ouvrir une gourde dont le couvercle est gelé en la tenant inversée quelques instants. On peut même placer la gourde à l'envers en permanence dans le parka ou sur le sac à dos, car l'eau gèle d'abord en surface. ■ Durant la nuit, on peut conserver l'eau dans un thermos ou dans une gourde qu'on glisse dans le sac de couchage... mais attention aux dégâts !

Monts Groulx, 2008

Le feu

Il n'y a que très au nord dans la toundra, sur certains terrains privés ou lors de sécheresses, qu'il est impossible de faire du feu. Le brûleur et les bonbonnes de combustible sont alors essentielles, bien qu'elles ajoutent du poids aux bagages (voir page 18).

Durant l'été et les mi-saisons, on peut choisir de cuisiner exclusivement sur le feu de bois. Scie, briquets et allumettes sont indispensables. De même, on doit prévoir une grille ou un trépied… à moins d'aimer travailler à la dure en équilibre sur des roches. L'allume-feu peut être d'un grand secours lors de voyages pluvieux ou dans des contrées où le bois tombé est pourri. Quoique lourde et encombrante, une hache est souvent très utile.

L'hiver, en refuge ou en tente prospecteur, le poêle à bois donne la possibilité de cuisiner sur le feu de bois. Toutefois, l'espace est restreint sur cette petite truie, surtout si on y fait fondre en permanence de la neige dans un chaudron pour les besoins en eau. Chaleur pour la cuisson et température agréable dans le refuge ne sont pas toujours compatibles… Il faut compter du temps pour chauffer le poêle avant de pouvoir cuisiner.

TRUC ! Un bon assistant, qui nourrit ou tempère le feu, est un atout pour le cuisinier dont la tâche est lourde. ■ Certains creusent un trou pour y faire le feu de façon à ce qu'il soit à l'abri du vent. ■ On conseille vivement de cuisiner sur un feu de petit bois qui permet de mieux régler le degré de cuisson.

Sur le feu qui flambait gaiement le long d'un arbre renversé il tenait une poêle dans laquelle grillaient en pétillant de larges tranches de lard. Plus loin, une chaudière fixée au bout d'une gaule bouillait à gros bouillons : c'était le thé.

Joseph Royal, La Vallée de la Mantawa : récit de voyage, 1869.

JOSEPH ROYAL, juriste et passionné de journalisme, part de Repentigny en septembre 1869 vers la vallée de la Mantawa, aujourd'hui Mattawin. Il était en compagnie du ministre des Travaux publics et de l'Agriculture de l'époque, monsieur Archambault, qui « n'hésitait pas à se mettre de nouveau sur la route pour voir de ses propres yeux l'emploi des deniers affectés aux chemins de colonisation et juger par lui-même de la valeur des vallées du versant septentrional des Laurentides ». Un an plus tard, à l'heure où le Manitoba entre dans la Confédération canadienne, on convainc Joseph Royal d'émigrer vers cette province et, en qualité d'intellectuel, de la représenter comme député à l'Assemblée législative. Avec lui, d'autres Québécois sont venus serrer les rangs et protéger les droits d'une imposante population métisse francophone des abords du lac Winnipeg. Cette communauté puise ses origines des expéditions des La Vérendrye, un siècle et demi plus tôt, vers l'hypothétique mer de l'Ouest.

TRUC ! Une bandelette de coton imbibée de gelée de pétrole (ou vaseline) et roulée jusqu'à une épaisseur de 3 ou 4 cm de diamètre constitue un excellent allume-feu. De même, du carton ondulé trempé dans la paraffine fondue au bain-marie rendra de fiers services pour démarrer un feu de bois humide.

«Quoiqu'allumer un feu paraisse être chose très simple, il se présente plusieurs occasions où il faut une grande habileté et expérience pour réussir vite et bien. Par un temps de forte pluie ou une tempête de neige, il est nécessaire d'avoir sous la main des matériaux en quantité suffisante pour allumer de suite un bon feu. L'écorce de bouleau dans ce pays du nord, est le stimulant par excellence d'un feu, et se rencontre presque partout. Là où l'on ne peut pas s'en procurer, le bois pourri est, après l'écorce ce qui s'enflamme le plus vite; certaines variétés prennent feu comme la poudre. Il faut se le procurer d'arbres debout. Le bois qu'on ramasse sur le sol est toujours plus ou moins humide.

Tout étant prêt, on pose un morceau de bois à terre, ensuite des morceaux d'écorce de bouleau ou autre chose que l'on peut avoir, pour allumer le feu; puis, des fagots, et par-dessus, du gros bois, suivant le feu que l'on veut avoir, en ayant le soin de laisser des jours pour faire circuler l'air au travers de la pile. Ceci est essentiel, car autrement, le feu ne sera pas ardent.

La pose du premier morceau de bois pour hausser le petit bois d'allumage a pour but d'assurer le tirage, autrement, le poids de tout le combustible étoufferait le feu. Une fois le feu bien parti, on peut y faire brûler à peu près n'importe quelle chose, même si elle est très mouillée. Bien se garder de faire un feu le long d'une falaise ou d'un gros arbre; dans le premier cas, il y a danger que, sous l'influence de la chaleur, des fragments se détachent de la falaise; dans le second, le tronc de l'arbre peut brûler suffisamment pour qu'il tombe durant la nuit.»

Conseil de Napoléon-A. Comeau (1848-1923) tiré de *La vie et le sport sur la Côte Nord*, 1945.

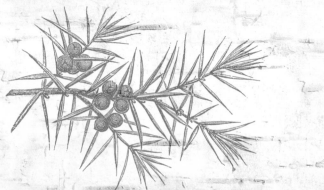

Né en 1848 sur la Côte-Nord, **NAPOLÉON-A. COMEAU** connaît ce vaste territoire par cœur : faune, flore, techniques de chasse, de pêche et de trappe, langues montagnaise, naskapie et inuktitut en plus de l'anglais qu'il maîtrise parfaitement. À 14 ans, il est nommé surveillant de la rivière Godbout. Doté d'une intelligence supérieure, il apprend en auto-didacte et exerce la médecine. Il est le seul médecin de la Côte-Nord où il opère à l'occasion et accouche 250 fois des mères qui ont toutes sur-vécu. On lui doit le premier réseau de communication télégraphique qui relie la Côte-Nord au reste du... monde. Courageux en plus d'être doué, Comeau, accompagné de son beau-frère, réussit le sauvetage des frères Labrie dont le canot allait être broyé par les glaces du fleuve. Les quatre hommes manœuvrent du mieux qu'ils peuvent entre les courants, les marées et la dérive de la banquise quand ils doivent s'y hisser. Ils survi-vent à la traversée du fleuve qui les mène à Cap-Chat sur la rive sud : 60 km en deux jours par un froid intense. Cette invraisemblable aven-ture est racontée en toute modestie dans son ouvrage *La vie et le sport sur la Côte Nord*. Inutile de dire que les quatre hommes sont retournés à Godbout en *sleigh* en passant par Québec ! Le nom de la ville de Baie-Comeau rend hommage à cet homme généreux.

Rivière Nastapoka, 2008

TRUC ! Si le feu est bien maîtrisé et qu'il ne dégage pas trop de fumée, il est possible de cuisiner dans le poêle à bois même, pratiquement comme dans un four. ■ On peut donner une forme oblongue au feu, qu'on alimente d'un côté et dont on répartit la braise puis les cendres chaudes plus loin, de façon à avoir plusieurs intensités de chaleur. Cette forme permet également à deux groupes de cuisiner sur un même feu.

Le poids et le volume des bagages

C'est sans doute la contrainte qui s'impose le plus rapidement. Un festin en plein air pour 20 personnes est envisageable si le transport des vivres est assuré en voiture. De même, sacs, barils ou glacières peuvent s'accumuler dans un kométik tiré par une motoneige lors d'une randonnée avec service de transport de bagages. Mais le transport des effets pose un problème au cuisinier qui voyage dans un canot de 16 pieds. Casse-tête plus épineux encore : imaginons trois repas pour six personnes à transporter dans un sac à dos en montagne !

Idéalement, un sac à dos ne devrait pas dépasser 30 % du poids de la personne qui le porte. Et l'on en consacre généralement le quart à la nourriture… Ainsi, en randonnée à pied ou en ski sans transport motorisé de bagages, été comme hiver, tout doit tenir dans le sac de 60 litres environ. Il faut donc calculer le poids des effets au gramme près ! Dès lors que le voyage dure plus de deux ou trois jours, les repas constitués de nourriture déshydratée s'imposent.

En vélo, les contraintes d'espace et de poids sont comparables, mais il y a régulièrement moyen de se ravitailler. En kayak de mer, c'est le volume des caissons qui peut imposer quelques restrictions. Le canot offre beaucoup d'espace. Par contre, on fera attention au poids des bagages sur un parcours parsemé de portages. En voilier, presque tout est permis.

Lac Albanel, 2007

Monts Groulx, 2008

« (...) ils se mirent en marche, chacun ayant pour tout équipage une couverture légère, son arc, ses flèches, ou son fusil avec un petit sachet de dix livres de bled d'Inde. »

En passant du lac Érié à la rivière de Condé et parlant des Sauvages, récit de Lahontan, paru la 1ʳᵉ fois en 1703, tiré de ses *Œuvres complètes*.

La température et la durée

La nourriture sera-t-elle dégelée pour l'heure du souper en plein hiver ? Se conservera-t-elle sous le soleil d'été ? La saison au cours de laquelle une excursion doit avoir lieu pose toute la question de la conservation des aliments. Un chapitre lui est d'ailleurs consacré dans ce livre (voir p. 47).

Enfin, la durée même du voyage combinée aux limites d'espace de transport de bagages oblige à composer des menus qui excluent certaines denrées et en favorisent d'autres, plus compactes et nourrissantes.

Autres considérations

Le groupe

Lors des sorties de plein air en groupe, il est de loin plus agréable et plus pratique d'organiser les repas collectivement qu'individuellement, au moins ceux du matin et du soir.

L'un des aspects pratiques de l'organisation collective des repas consiste à réduire la logistique des repas et à partager la responsabilité et le transport des effets communautaires : réchauds, casseroles et poêlons, grille, etc. (voir *Batterie de cuisine et ustensiles*, p. 33). La mise en commun des repas peut aussi simplifier la situation en cas de pépin !

ATTENTION ■ Il faut à tout prix savoir au préalable si quelqu'un a une allergie ou une intolérance à un aliment et composer avec cette situation.

Parc national Auyuittuq, Baffin, 2008

Photo : Sylvie Michaud

« J'y ai fait mettre à bord des provisions pour un mois (dont un baril de farine d'avoine, quarante-deux morceaux de bœuf, huit ou dix oies de mer, deux morceaux de porc, du gibier, un baril plein de biscuits, huit barils de poudre et cinquante plombs), malgré qu'ils pouvaient atteindre le port Nelson en huit jours. »

Pierre-Esprit Radisson, récit d'un voyage à la Baie d'Hudson tiré de son *Journal 1682-1683*.

PIERRE-ESPRIT RADISSON vient de relâcher Bridgar, un envoyé britannique par la Compagnie de la Baie d'Hudson, nommé gouverneur de la région. Cet événement se passe au printemps 1683 après une longue hibernation sur la côte ouest de la Baie d'Hudson, mettant en scène ce fameux gouverneur et son équipage, ainsi que le navire d'un dénommé Gilham en provenance de la Nouvelle-Angleterre. Radisson et son beau-frère Médard Chouart Des Groseillers ont, quant à eux, pour mission de reprendre pour le compte de la France l'hégémonie sur la traite des fourrures dans la région. Mais, tout comme on se plie aux lois de la jungle, on respecte les lois du Grand Nord : pas de coups de canon, pas de menottes, de la ruse, de l'endurance et même de l'entraide pour la survie. Depuis l'automne précédent, Radisson et ses hommes, peu nombreux, sont ancrés dans l'embouchure d'une rivière dont ils cacheront l'emplacement le plus longtemps possible aux commandants des deux navires ennemis, arrivés à la même époque non loin de là. Radisson leur fait croire qu'il attend des renforts, multiplie les visites mi-courtoises, mi-intimidantes. Il sait qu'ils n'ont pas son expérience en matière de survie dans ces contrées hostiles et il s'est allié les Indiens de la région. De fait, au cours de l'hiver, l'un des navires anglais est fracassé par les glaces et au printemps, avec une poignée d'hommes, il prend sans difficulté le gouverneur qu'il renvoie au fort Nelson, lui fournissant une chaloupe pleine de vivres. Et voilà les Anglais défaits !

Sous la dictée de Radisson, ces témoignages sont à peu près les seuls que les coureurs des bois ont laissés, faute de savoir écrire. L'histoire de cet homme au destin exceptionnel, plein d'une énergie intarissable et d'entêtement pour sa survie et ses affaires personnelles, en fait une des figures les plus attachantes de la Nouvelle-France.

«Quant au sr d'Hyberville, qui estoit sur le devant du canot qui par la longueur l'avoit fait passer ce mechant endroit, il nagea jusques a ce que les canots que je depesche promptement a son secours y fussent arrivey (...) Le sr d'Hyberville y perdit fusils hardes et presque tous les vivres. Je leur donné des miennes a la place : scavoir un sac de pois 20 lbs de ris, une pouche de galette, et quelques autres bagatelles.»

Journal du Chevalier de Troyes, à la Baie d'Hudson, en 1686.

Dès son arrivée au Canada en 1685, le **CHEVALIER PIERRE DE TROYES** fut chargé de déloger les Anglais de la Baie d'Hudson. Cette périlleuse expédition devait donner aux Français le monopole de la traite des fourrures dans cette région giboyeuse et très convoitée. Il part donc le 30 mars 1686 de Montréal avec une centaine d'hommes, dont une trentaine de soldats et 35 canots chargés de vivres et de munitions. Ses seconds sont les sieurs Jacques de Sainte-Hélène et Pierre d'Iberville, qui s'illustrera brillamment lors de cette mission réussie. Le journal de route de Pierre de Troyes relate la remontée de la rivière Outaouais qui commence au bout du lac des Deux Montagnes par un rapide de cinq milles. Il évoque d'interminables ou difficiles portages qui jalonnent toute la remontée, dont ceux des rapides de *La Chaudière* (à Hull) et des *Grandes-Allumettes* (à Pembroke). Le récit se poursuit de portage en portage jusqu'au lac Témiscamingue et au-delà. Les voyageurs traversent même une prairie en flammes et atteignent enfin la ligne de partage des eaux, le 30 mai. Ils redescendent jusqu'à la Baie James par le lac et la rivière Abitibi. C'est en sortant de ce lac que survient le dessalage d'Iberville et de son coéquipier Noël Leblanc qui s'y noie. Le voyage de mission se poursuit toutefois avec succès par la prise de trois forts anglais, Haynes, Rupert et Albany. Le 9 août, le narrateur amorce son retour pour atteindre Montréal en octobre sans encombres.

Étant donné qu'il est plus facile de prévoir des repas pour six ou huit personnes, il est conseillé de diviser les grands groupes pour ramener la tâche du cuisinier à ce type de proportions. Évidemment, les plus hardis n'hésiteront pas à s'attaquer à la préparation de festins pour une plus grande tablée.

Si la tâche peut paraître lourde à celui qui prévoit et prépare un repas pour huit personnes, il est vraisemblablement libéré des tâches relatives à sept autres repas ! La préparation des soupers étant plus exigeante, on peut confier soupe et dessert à quelqu'un et le plat principal à une autre personne.

L'hygiène

Se laver les mains avant de cuisiner est une affaire de rien lorsqu'on établit son camp sur le bord d'un cours d'eau,

Rivière Mistassibi Nord-Est, 2008

Photo: Erik Lalancette

mais en forêt, en montagne ou en hiver, ce geste machinal demande un petit effort. Pour minimiser celui-ci, on peut avoir recours à des produits tels des lingettes humides ou de l'alcool en gel utilisable sans eau qu'on trouve en pharmacie.

Bien sûr, il faut prendre le temps de bien laver la batterie de cuisine, les gamelles et les ustensiles après chaque repas. Pour éviter toute contamination, la planche utilisée pour couper des viandes crues doit être lavée avant de couper autre chose.

Un mode de vie inhabituel

En hiver, il est bon de prévoir quelque chose à grignoter ou, mieux encore, un breuvage chaud facile à préparer entre l'arrivée au camp au coucher du soleil et le souper. Une soupe, un bouillon, un thé, une tisane, une boisson au gingembre ou de l'eau chaude avec du poivre de Cayenne réchaufferont et aideront à calmer la faim des voyageurs.

En été aussi, boissons chaudes et soupes sont toujours bienvenues les jours de pluie et les journées fraîches ou fatigantes.

Certains préfèrent s'abstenir de boire beaucoup le soir pour ne pas avoir à se lever la nuit… ceux-là doivent compenser en consommant plus de liquide le matin.

Pour cuisiner dehors avec plaisir, il faut se créer un certain confort, s'orienter par rapport au feu et surtout au

Photo : Maxime Cousineau

TRUC ! Un souper copieux le premier soir a un effet rassurant sur les voyageurs. Quand l'appétit va, tout va !

«J'vous l'ai dit, j'faisais la cookerie ni plus ni moins que dans l'sable là, rien qu'dans un feu pis du sable. Et puis j'vas vous dire (...) c'qu'y m'a arrivé qu'j'ai été obligé d'faire. On drave, le bois s'en va dans rivière, un moment ça arrête, un barrage qui s'fait d'billots. Ça a pris huit jours avec la quantité d'billots qui s'en v'naient, on a été huit jours là. Boulanger, être obligé d'boulanger dans les camps d'toile, pis d'faire cuire dans l'sable, c'est difficile ça pis y faut être là. Le matin, j'me levais pour faire du pain, j'disais à Monsieur Lafleur, c'était mon boss, y s'appelait Albert pis on était pas gêné nous autres, j'y dit : «Albert, c'est tu correct, aujourd'hui j'boulange là.» J'boulangeais à peu près tous les deux ou trois jours. «Ah! Y dit, y a pas d'soin, ça passe pas ces jours cit.» J'ai mis ma pâte en marche, partir ça. À deux heures de l'après-midi, y dit : «On mouve, on s'en va d'icit le bois est parti.» Mon pain était prêt à cuire, y était dans les chaudrons là. C'était une place, à tous les ans y avait des quarts de lard qui étaient vides, qui traînaient ; y ramassent pas ça, y les laissent là. «Au ras les gars là, au ras les gars, coupez les quarts, coupez les quarts en deux.» On les défonçait sus l'même bout, pis on faisait un tas, pour charrier, pour mettre ça dans un boat de drave. Pour mettre d'la cendre, ça faisait deux hauteurs de chaudrons, la moitié du quart. On mettait un chaudron dans l'fond, pis mettre d'la cendre dessus, pis mettre un aut'chaudron par-dessus. On est descendu six milles. Pis y dit: « Y est t'y l'heure d'étirer l'pain ? » Fa qu'là j'ai regardé l'heure, ça m'prenait une heure, une heure et quart, cuit dans l'sable qui était chaud. On a décroché le chaudron, pis l'pain était cuit. On a descendu pareil. Ça j'ai fait ça moi, faire cuire mon pain sus l'eau. »

Une aventure d'un cook sur la drave *tirée de* Récits de forestiers, *une publication dirigée par Robert-Lionel Séguin.*

Ce récit est celui de **LIONEL CHARRON** de Saint-André-Avellin dans le comté d'Argenteuil, alors qu'il avait 80 ans. Il a commencé à travailler dans les chantiers forestiers à l'âge de 13 ans pour la compagnie Ridan, qui est devenue la C.I.P. Quelques années plus tard, en 1919, il est employé comme cuisinier pour 80 à 100 hommes, sept jours sur sept pendant les cinq à six mois d'hiver que durent ces chantiers. Il a travaillé ainsi pendant 37 ans au Témiscamingue, sur la « grand'Rouge » qui se déverse au pied des villages de l'Annonciation, Labelle, Saint-Jovite, la Conception. Comme lui, un nombre important d'hommes en milieu rural allaient travailler dans les camps forestiers de façon saisonnière, parfois en alternance avec l'exploitation de leurs terres agricoles.

vent, prévoir de l'eau à proximité et des torchons propres pour s'essuyer les mains et pour déposer ustensiles, ingrédients, contenants d'assaisonnements. Une bâche est indispensable pour abriter le « coin cuisine » de la pluie. Un tapis isolant pour s'agenouiller face à la planche à découper ou près du feu est à la base même du confort.

Et il ne faut pas hésiter à demander de l'aide !

Le temps de préparation

Bol de céréales, crêpe ou œuf bénédictine ? Le temps de préparation est très variable d'un déjeuner à l'autre ! Dès qu'un temps de cuisson est requis, autre que celui qui consiste à faire bouillir de l'eau pour le café ou le thé, il faut compter environ une heure pour préparer le repas et servir un groupe de six à huit personnes, à moins de se limiter à une chaudronnée commune de céréales chaudes (crème de blé, gruau, crème de maïs, etc.).

Il est préférable de prévoir la veille les pâtes à crêpe ou à banique qui ont besoin de reposer, sauf l'hiver où il est presque plus long de les dégeler que de les préparer le matin même.

On profitera du feu ou du réchaud allumé pour préparer les dîners qui ont besoin de cuisson (salades à base de légumineuses ou de pâtes alimentaires, soupe en

CONSEIL ■ On peut toujours se renseigner auprès des membres du groupe pour connaître leurs aversions à certains aliments, mais en règle générale, mieux vaut tenir compte de l'ensemble du groupe et ne pas trop compliquer la conception des menus.

Parc national Auyuittuq, Baffin, 2008

CONSEIL ■ Un repas composé de protéines (viande, fromage, légumineuses) réchauffe plus intensément et surtout pour plus long-temps qu'un repas composé de glucides (pâtes alimentaires, riz).

TRUC ! Le poivre de Cayenne utilisé en condiment dans les mets, dans les sandwiches ou même en tisane avant d'entrer dans le sac de couchage le soir réchauffe en accélérant la circulation sanguine. Certains en mettent même dans leurs bottes !

thermos), ce qui étirera le temps consacré « aux fourneaux » d'une autre heure le matin.

Le souper exige souvent qu'on s'y attelle une bonne heure à l'avance, sinon une heure et demie. Il faut toutefois compter de deux à trois heures pour la préparation des repas qui nécessitent de faire fondre de la neige, aussi bien pour le déjeuner que pour le repas du soir. Ces durées de préparation excluent le temps consacré, s'il y a lieu, à la décongélation ou à la réhydratation des aliments (voir pages 49-50).

Nutrition et conditions liées au séjour en plein air

Hydratation

Hiver comme été, bien s'hydrater est essentiel, notamment le matin. Évidemment, on pense plus facilement à boire au cours d'une journée de soleil ardent que sous une pluie froide ou en hiver. Pourtant, le corps consomme beaucoup d'eau pour combattre le froid. La fatigue et les maux de tête sont souvent dus à la déshydratation. D'autres signes devraient alerter les sujets qui ne boivent pas assez : lèvres sèches, mains moites, petites nausées, frissons et après quelques jours, urine rare et de couleur foncée. Si quelqu'un souffre de troubles de vision, de coordination, de diarrhée et de vomissement, il faut sûrement l'évacuer…

« Pour travailler dehors l'automne dans une pluie ou ben les premières neiges, ben y sont obligés de tougher tant qu'y a moyen. Mais y arrivent, y sont trempes. Ça moi j'attendais pas, j'allais à cookerie, j'prenais une chaudière, du gingembre, du sucre, pis j'allais leux porter. »

Témoignage de Lionel Charron, cuisinier dans les camps, tiré de *Récits de forestiers*, une publication dirigée par Robert-Lionel Séguin.

Froid

En plein air, été comme hiver, on ne doit pas tolérer le froid. Il faut réagir, soit en bougeant, soit en mangeant. Un liquide chaud et sucré permettra de combattre les frissons qui persistent, en ravitaillant le corps en glucides. Attention ! On ne doit jamais boire d'alcool pour se réchauffer, car en fait, il accélère la perte de chaleur par vasodilatation. Il faut également savoir que l'hypothermie présente des dangers qui, poussés à l'extrême, sont irréversibles.

Mont Yapeitso, Otish, 2007

« (Irsutuguluk) s'exclame :
Aaa ! Que j'ai froid ! Et il se met à pleurer.
Qalingu le soulève et le fait entrer sous l'iglou ;
l'enfant frissonne de froid. Les femmes qui
viennent d'arriver entrent l'une après l'autre
chez Sanaaq.
Ai ! Fait Sanaak. Vous arrivez ? Vous voyagez par
un temps vraiment très froid ! Soyez nos hôtes !
Arnatuinnaq ! Le thé bout-il ?
Oui !
On réchauffe les arrivants avec une boisson
chaude. »

Tiré du roman *Sanaaq* de Mitiarjuk Nappaaluk,
écrit dans les années 1950.

MITIARJUK NAPPAALUK est née en 1931 près de Kangirsujuaq au
Nunavik. Autodidacte, elle a appris l'écriture syllabique inventée par
les missionnaires et s'est lancée, autour des années 1950, dans
l'écriture de ce premier roman inuit. Elle y raconte l'histoire de
Sanaaq, une femme qui chemine entre le quotidien et les profondes
transformations que subissent les communautés inuites en plein
cœur du 20e siècle.

CONSEIL ■ Lors d'expéditions de plus d'une semaine, on remarque
une augmentation évidente des besoins en énergie, donc en nourriture.
Pourtant, certaines personnes fournissant des *efforts* de façon soutenue
ont en apparence moins faim qu'à l'habitude.

Consommer les bons aliments en quantité suffisante,
à un rythme approprié et s'hydrater adéquatement sont
des clés pour apprécier l'hiver. On conseille des déjeuners copieux et chauds, des aliments à grignoter et de
l'eau ou d'autres boissons à consommer aux heures. Les
dîners doivent être très simples et rapides… si le soleil de
mars nous réserve de bons moments, des vents de janvier
ou de février ne nous permettent même pas d'enlever nos
mitaines pour manger. Noix, saucissons et fromage à pâte
ferme déjà coupés, biscottes, jerky, barres tendres qui
dégèlent rapidement sur le corps fourniront un apport
énergétique adéquat en 5 à 15 minutes de pause-repas.

Énergie

En général, on doit consommer au déjeuner environ le
quart des calories de la journée. De même au dîner et aux
collations dans la journée. Ainsi, la moitié des calories de
la journée sont absorbées au souper. Attention ! Lors
d'excursions où l'on doit fournir un effort soutenu ou
lutter contre le froid, certains voyageurs ont besoin de se
nourrir beaucoup plus le midi pour recouvrer leur énergie et poursuivre la journée.

Les besoins quotidiens en calories sont variables suivant l'effort à fournir et les conditions climatiques. Pour
qui souhaiterait avoir à cet égard quelques points de
repère, on suggère vivement la lecture de l'ouvrage
d'Odile Dumais intitulé *La gastronomie en plein air*.

Pour combler des besoins importants en calories, tout
particulièrement chez les végétariens, il est suggéré de

manger des aliments tels que les fèves, les pois chiches, les lentilles ou le tofu. L'ajout d'un gras comme l'huile d'olive, le beurre ou des noix permet de consommer des calories sans se surcharger en poids ou en volume de nourriture.

Quantités « standards » et équivalences poids/volume

Combien serons-nous? Y a-t-il de gros mangeurs parmi nous? Au moment des préparatifs, la hantise de manquer de nourriture est un classique! Mieux vaut calculer en fonction de bons appétits, sans exagérer. On peut toujours étirer les quantités d'accompagnement de céréales, de légumineuses ou de pâtes pour satisfaire l'exceptionnel gourmand, le « goéland » du groupe.

Bien sûr, tout le monde sait qu'on doit prévoir une poignée de spaghetti grosse comme un 25 cents par personne. Mais qu'en est-il des tortellinis et de tant d'autres aliments?! Voici quelques points de repère.

	En plat principal	En accompagnement
Riz (sec)	110 à 125 g (½ tasse)	80 à 100 g (⅓ tasse)
Pâtes (sèches)	125 g (½ tasse)	80 à 100 g (⅓ tasse)
Viande en sauce	140 à 160 g (¾ tasse)	
Agneau, bœuf (cru)	110 à 160 g	
Poulet poitrine (cru)	1 ¼ à 1 ½ environ ou 130 g	
Lentilles (sèches)	125 g (½ tasse)	
Tofu	100 à 140 g (½ à ¾ tasse)	
Pommes de terre	1 moyenne ou 3 à 4 grelots	

Une consultation du Guide alimentaire canadien, disponible sur Internet, aidera le lecteur intéressé à compléter cette liste.

Les indispensables

Les gourdes

En plus des gourdes individuelles dont on ne peut se passer, une vache à eau ou un contenant souple de quatre ou six litres pour les besoins communs d'hygiène et de la cuisine sont toujours très appréciés.

Des gourdes de surplus peuvent être très utiles pour des besoins quotidiens tel qu'une préparation de mélange à gâteau, le transport d'une salade commune qu'on servira au dîner, la germination de graines en prévision d'une salade fraîche. Si les gourdes de grandes dimensions sont difficiles à trouver, les contenants étanches d'olives de 1 ½ litre ou de 2 litres, recyclés, font parfaitement l'affaire.

Les réchauds et leur manipulation

En toutes saisons, un réchaud d'appoint ou plusieurs réchauds peuvent simplifier l'existence des cuisiniers ou dépanner en cas d'urgence. Peu de réchauds toutefois permettent de régler vraiment l'intensité de chaleur. Les plats mijotés ont tendance à coller avant d'être chauds à la surface. On peut utiliser une plaque d'acier ou de métal entre le réchaud et la casserole pour mieux distribuer la chaleur. Les modes de cuisson présentés en page 37 (cuisson au

Sentier national au Témiscouata, 2006

TRUC ! Il faut compter ⅙ litre de carburant par jour pour une personne et ½ litre pour un groupe de trois personnes en été. Cette consommation moyenne double en hiver ; il faut compter 15 à 20 minutes pour la fonte de la neige et 10 à 15 minutes pour porter l'eau à ébullition.

bain-marie ou au four hollandais) offrent des solutions intéressantes pour éviter ce genre de catastrophes.

Pour les sorties d'hiver, on conseille les réchauds qui carburent au naphta. Ils sont très bruyants, mais efficaces, surtout lorsqu'ils sont abrités du vent et isolés de la neige. Il est bon aussi d'isoler la bonbonne de carburant de la neige en la déposant sur un tapis isolant.

La batterie de cuisine et les ustensiles

Le nombre de casseroles ou de chaudrons requis pour une excursion en plein air et leur taille variera en fonction de l'importance du groupe. Trois ou quatre de ces indispensables constituent souvent un minimum en plus du chaudron pour faire fondre de la neige : on voudra préparer une soupe dans l'un, le mets principal dans un autre, un riz ou un légume d'accompagnement dans le troisième. Pour peu que la préparation du dessert requière une cuisson, ou que l'on utilise un chaudron pour cuire au bain-marie, les quatre chaudrons sont mobilisés.

Comme à la maison, la qualité des casseroles fera la différence entre une bonne et une piètre diffusion de la chaleur, puis une vaisselle plus ou moins ardue à récurer.

Si le poids n'est pas un obstacle, un autocuiseur (ou presto) présente l'avantage d'accélérer la cuisson et de réduire d'autant la consommation de carburant. Il sera particulièrement apprécié en camping d'hiver ou en voilier, puisque le couvercle bien scellé ne laisse rien déborder, même lorsque le bateau gîte.

Une poêle est nécessaire, sinon deux, pour un groupe de plus de six à huit personnes. Si certains ne jurent que par la fragile poêle antiadhésive, d'autres ne cuisinent que dans la fonte. À vous de jouer !

Une gamelle ou un autre contenant assez grand finissent toujours par être utilisés pour les préparatifs d'un repas ou pour servir une salade commune le midi.

La trousse des ustensiles de cuisine doit contenir au moins une spatule, une cuillère de bois, un fouet, un couteau de chef ou d'office, une louche ou une tasse à mesurer. Une râpe et un sac en filet pour égoutter les pâtes simplifieront des tâches qui, autrement, exigent adresse ou patience plus que de coutume. De même, un économe (ou pèle patate) et une planche à découper facilitent certaines opérations.

Une paire de gants isolants ou de gants de soudeur pour manipuler chaudrons, grille, bûche ou réchaud est absolument nécessaire. Des gants de travail en cuir peuvent à la rigueur suffire à ces tâches.

Torchons ou chamois, savon sans phosphate de préférence, frottoir et gants à vaisselle complètent la liste des « outils » de cuisine.

Les sacs, barils et autres contenants

L'étanchéité pour garder au frais ou au sec

En camping fixe durant la saison chaude, la glacière qu'on alimente régulièrement en sacs de glace a depuis longtemps fait ses preuves. Attention toutefois aux aliments qui baignent dans l'eau de la glace fondue !

Dès qu'un déplacement est prévu, cette classique glacière doit céder sa place à un bagage plus ergonomique. Les sacs au sec de toutes tailles, les barils de 30 ou 60 litres étanches conçus pour l'*import/export* d'aliments prennent alors la relève. Munis de poignées ou de harnais comme les sacs à dos, ces contenants sont parfaitement adaptés aux voyages en canot. Très étanches, ils garderont au sec leur contenu même sous une pluie battante ou suite à un dessalage. Déposés dans les caissons du kayak de mer, contre la coque de l'embarcation qui baigne dans l'eau froide ou glissés sous les ballons de pointe ou autres bâches qui coupent des rayons du soleil, ces contenants garderont les aliments au frais. Un aliment congelé rafraîchira plus longtemps tout le contenu d'un bagage étanche.

En randonnée où la légèreté est de rigueur, on glissera dans le sac à dos les aliments emballés dans des sacs étanches.

Les contenants solides pour les aliments fragiles

Quoique volumineux, les contenants de plastique durs rendent de fiers services pour le transport de biscuits ou d'œufs par exemple. Ils pourront toujours être réutilisés en cours de route.

Les petits contenants de médicaments recyclés sont quant à eux très pratiques pour le transport des épices.

Les contenants pour la réhydratation

La réhydratation des aliments, s'il y a lieu, exige quelques contenants prévus à cet effet. Si des sacs de plastique étanches peuvent souvent faire l'affaire, des gourdes de diverses dimensions peuvent aussi être requises. Un petit baril d'olives recyclé, contenant 3 litres, s'avérera idéal pour réhydrater une soupe pour 10 personnes ou un autre aliment en quantité appréciable.

Les thermos

Même encombrant quand il n'est pas utilisé, le thermos est grandement apprécié des randonneurs en hiver ou même à la fin de l'automne et tôt au printemps. Un thé chaud ou une soupe à la pause du midi revigorera instantanément par temps froid.

Il peut s'avérer très pratique pour qui veut préparer du yogourt durant le séjour en plein air (Voir *Yogourt*, p. 83).

Photo : Erik Lalancette

CONSEIL ■ Aucun contenant étanche ne résiste bien à la fluidité de l'huile. Il est donc préférable d'emballer le contenant dans un sac de plastique avant de le glisser dans les bagages. ■ Un couteau à fileter (souvent appelé Rapala) est une vraie merveille pour qui pêche et veut découper ses prises en filets.

Les bases et la trousse à épices

Lorsque le voyage dure plus d'une journée ou deux et qu'on prévoit faire plus que réchauffer des plats préparés à la maison, des ingrédients choisis dans la liste qui suit permettront de cuisiner des plats succulents et variés, d'improviser, voire d'épater la galerie.

Les inoubliables bases

Huile pour la cuisson

Huile d'olive

Beurre (salé de préférence) ou ghee (beurre clarifié)

Sel fin ou gros sel de mer

Vinaigre

Citron ou lime

Ail frais

Oignon

Herbes fraîches roulées dans un torchon

Café

Thé

Tisane

Lait en poudre

Moutarde

Sucre ou cassonade

Épices et fines herbes
(au moins quelques-unes parmi les épices suivantes)

À l'italienne

Thym

Feuille de laurier

Romarin

Poivre moulu

Clou de girofle

Baie de genièvre

Cumin

Carvi, aneth ou fenouil

Gingembre

Curry

Cannelle

Graines de coriandre

Noix de muscade

Poivre en grains rose ou vert

Safran

Selon les besoins ou pour improviser

Cubes de bouillon
(sans glutamate monosodique si possible, qui déshydrate le corps)

Tube de pâte de tomates

Tube de mayonnaise

Pommes de terre en flocons

Œufs en poudre (liant)

Lard salé

Farine

En réserve pour les longs parcours

Mélange à banique
(farine/poudre à pâte/sel)
(voir *Banique… à toutes les sauces*, page 77)

Papier aluminium

Petits sacs de plastique étanches

Bran de scie
(*voir Poisson fumé au bran de scie d'érable*, page 129)

Les modes de cuisson

Le sel

Parmi les diverses façons de cuire les aliments pour les conserver, certaines ne requièrent aucune source de chaleur. La salaison en est une. Ce procédé, d'origine européenne, a permis et permet encore de conserver des millions de tonnes de morues durant leur transport, des côtes de Terre-Neuve jusque dans les cuisines portugaises, espagnoles et françaises des jours maigres prescrits par la religion catholique. Ces morues ont inspiré des mets tels que les croquettes (voir *Croquettes de morue*, page 158) très prisées des Terre-Neuviens, des Gaspésiens et des riverains de la Basse-Côte-Nord. Les Portugais raffolent encore du bacalhau (voir *Bacalhau*, page 162), ce plat à base de morue dessalée et de pommes de terre qu'on arrose d'huile d'olive avant d'y planter la fourchette.

Cette même salaison a été adoptée par des générations de « mangeux d'lard », ces voyageurs canadiens-français qui ont sillonné l'Amérique du Nord jusqu'aux pourtours des baies d'Hudson et James et aux confins des Grands Lacs. Ces hommes empruntaient durant des mois les gigantesques chemins d'eau qui les menaient de Montréal aux territoires de traite des fourrures. Le fameux lard salé

« Le premier rang (de morues) fait, on le couvre de sel tant que le poisson peut en prendre, comme on dit tout son saoul, puis on fait une autre couche dessus qu'on sale de même, ainsi continuant toute la pêche d'un jour. Car on met rarement la pêche d'un jour sur l'autre. Le poisson demeure ainsi trois ou quatre jours tant que son eau soit égouttée et qu'il ait pris son sel. Puis on le relève et on lui ôte tout ce qu'il y a de sel de reste. On fait ensuite une autre couche dans un autre endroit du fond du navire. On le couvre encore de nouveau sel, lit pour lit, après quoi on n'y touche plus. »

Nicolas Denys, 1672.

NICOLAS DENYS quitte la France pour s'établir d'abord en Acadie. Entrepreneur, il connaîtra de nombreuses péripéties, desquelles se dégage une constante : son intérêt pour l'exploitation de la pêche sédentaire à la morue. Il obtiendra notamment du roi, en 1654, des pouvoirs discrétionnaires de gouverneur et un droit de pêche « en toute l'étendue des côtes de l'Acadie jusqu'aux Virginies ».

« À cinq ou six lieues de la (rivière Ouinipigon), il y a une source d'eau salée qui forme un bassin. Le soleil même coagule l'eau qui forme un sel très blanc. Ils m'en ont apporté qui est très bon. Les Sauvages s'en servent. »

Tiré du Journal de Pierre Gaultier de Varennes et de La Vérendrye, *À la recherche de la mer de l'Ouest*, alors qu'il est en 1738 au Fort de la Fourche ou Fort Rouge érigé au confluent des rivières Rouge et Assiniboine, au pays des Monsonis et des Cristinaux.

En 1731, **Pierre Gaultier de Varennes et de La Vérendrye**, né en Nouvelle-France, a amorcé de longs voyages vers l'inconnu, accompagné de ses quatre fils et de son neveu. En quête de la Mer de l'Ouest qui devait mener vers les richesses de l'Orient, il a exploré, annoté, cartographié, pactisé avec les nations qu'il rencontrait. Entre le bassin versant des Grands Lacs et celui de la Baie d'Hudson, il a cheminé vers l'ouest jusqu'à la barrière des montagnes Rocheuses qu'il n'a pu franchir, à regret. Boudé par ses supérieurs à qui il rendait systématiquement compte de ses démarches, il a souvent poursuivi sans soutien, mais avec rigueur son travail de découvreur et de diplomate auprès des Premières Nations. Ayant érigé plusieurs forts dans la région de Winnipeg, La Vérendrye est considéré comme le premier fondateur de la capitale du Manitoba. Beaucoup de ses hommes ont adopté ces territoires et sont à l'origine d'une imposante communauté métisse de l'Ouest canadien.

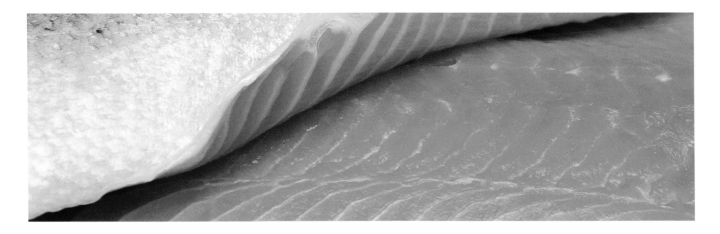

qu'on retrouve à la base d'une foule de plats traditionnels québécois était aussi stocké dans les chambres froides de toutes les caves des riverains du fleuve Saint-Laurent (voir *Soupe aux pois* et *Soupe aux coques*, pages 112 et 118).

Les Scandinaves, grands amateurs de saumons dont leurs pays regorgent, le servent en graavlax (voir *Graavlax*, page 121), soit cuit quelques jours au frais dans un mélange de sel et de sucre : un délice, parfaitement adapté aux contrées nord-américaines dont la faune et la flore s'apparentent étonnamment à celles de la Scandinavie.

Le citron

Quantité de prises des pêcheurs latino-américains et antillais, depuis des temps immémoriaux, baignent quelques heures dans du jus d'agrumes, de lime de préférence, avec un peu d'oignon et des aromates pour donner le ceviche, un mets succulent de fraîcheur (voir *Ceviche à la coriandre*, page 120).

Sur le même principe, une marinade à base de vin rouge, de vinaigre ou de citron amorcera à elle seule la cuisson d'une pièce de viande, tout en l'aromatisant et en l'attendrissant. Ainsi, une viande marinée se conservera un peu plus longtemps qu'une viande fraîche (voir *Brochette style satay*, page 153).

De la viande coupée en tranches fines et marinée, une fois séchée, se conservera des mois durant (voir *Jerky et marinade*, page 87). Cette façon de faire s'inspire des méthodes amérindiennes de conservation de la viande. Une viande séchée et réduite en poudre était en effet à la base de la préparation du fameux pemmican (voir *Pemmican*, page 88).

Némiscau, Rivière Rupert, 2005

La fumée

En Amérique du Nord, les Premières Nations, qui ne connaissaient ou n'utilisaient que très peu le sel, fumaient du poisson et de la viande en prévision des retours bredouilles de la chasse et de la pêche. Filets de saumon ou d'esturgeon, tranches d'orignal ou de chevreuils étaient cuits et asséchés à la fois par la seule fumée d'une essence de bois dont ils prenaient l'arôme (voir *Poisson fumé au thé ou à l'érable* et *Viande d'orignal fumée en jerky*, pages 128 et 87). Les nouveaux arrivants français ont vite apprécié ces poissons fumés à l'érable.

Le feu

C'est certes la chaleur d'un combustible qui intervient le plus souvent dans la cuisson des aliments. Mais, suivant les mets à préparer, elle agira de diverses façons.

Sur la grille

Ici, l'important est ce qui se passe sous la grille. Pour la viande, les braises d'un feu de bois ou de charbon doivent être très chaudes au début, quitte à s'enflammer de temps en temps. Une viande bien saisie retiendra son jus et ses sucs qui en constituent toute la saveur. Puis, on renouvellera les braises réduites en cendre par des braises moins vives qu'au début.

Dans la cendre

Enrobés ou non de papier aluminium, pommes de terre ou autres tubercules, courges, brochets et même banique cuiront admirablement dans la cendre chaude. On peut

« Nous boucanâmes la viande de neuf grandes bêtes, en sorte qu'elle eût pu se conserver pendant deux ou trois ans, et avec cette provision nous attendions avec tranquillité l'hiver, en chassant et en faisant bonne provision de noix et de châtaignes, qui étaient là en grande quantité. »

Robert Cavelier de la Salle, *Récits de trois expéditions aux Amériques*, 1643-1687.

Peut-être le style un peu ampoulé de ce témoignage révèle-t-il un trait de personnalité de son auteur ? **CAVELIER DE LA SALLE** a le sens du décorum. Lors d'une expédition qui le mène à la tête du delta du Mississippi en 1682, il prend possession de la Louisiane à l'occasion d'une cérémonie empreinte d'élégance et de convenances, en présence d'une vingtaine de Français et d'une poignée de Sauvages. Avec ceux-ci, il avait repris le trajet emprunté quelque 10 ans plus tôt par Jolliet et Marquette le long de cette fascinante « Grande rivière » comme on l'appelait à l'époque : 3 780 kilomètres ! Ses prédécesseurs s'étaient aventurés jusqu'au même endroit ou presque, mais, repoussés par l'inhospitalité des Sioux, ils étaient repartis sans avoir la certitude que ce fleuve déboucherait sur la mer du sud plutôt que sur la mer de l'ouest, soit en Californie. Cavelier de la Salle, quant à lui, explore le delta et « reconnaît » le Golfe du Mexique. Il y reviendra plus tard par la mer avec plus de 300 hommes. Mais cette expédition finit mal : dérives et malentendus conduisent à une mutinerie à laquelle Cavelier de la Salle ne survivra pas. Après lui, c'est d'Iberville qui, en 1698-99, renforcera les positions des Français sur les bords du Golfe du Mexique.

« Nous prenons un brochet dans le lac et le faisons cuire à la manière indienne, sans gratter ni vider, allumons par-dessus un feu de branches. Au bout de vingt minutes, le repas est prêt. Écarté le sable brûlant, il s'agit de soulever la peau carbonisée de la bête et de servir. La chair ainsi apprêtée est d'un blanc de neige, excellente, mais de goût fade, parce que non assaisonnée. On relève de sel et poivre. »

Harry Bernard, *Portages et routes d'eau en Haute-Mauricie*, 1953.

Marcel Guilbault, guide de pêche, Lac Fou, Haute-Mauricie, 1956

HARRY BERNARD, né en 1898 à Londres et établi très jeune au Québec, était romancier et journaliste. Il a signé de nombreux articles publiés dans *Le Droit* d'Ottawa, et *Le Courrier* de Saint-Hyacinthe qu'il a dirigé de 1923 à 1970. En introduction à son ouvrage *Portages et routes d'eau en Haute-Mauricie*, il informe que les études qui composent son livre « parurent dans diverses publications, le plus grand nombre dans la revue *Chasse et Pêche* ». Cet amant de la nature disparaît en 1979.

en recouvrir complètement les aliments à cuire (sauf la banique qu'on retournera et dont on grattera la surface avant de servir). Il faut être patient et éviter d'attiser constamment le feu à proximité.

Sur roches chaudes

Comme la fonte, la roche emmagasine et conserve bien la chaleur. Ainsi, des pierres plates dégagées du feu serviront à cuire des truites ou autres poissons et même de petites brochettes en quelques minutes (voir *Truite mouchetée et autres poissons sur roches chaudes*, page 133). Le contenu d'un chaudron déposé à proximité de roches chaudes restera chaud (voir *Café cowboy* et *Yogourt*, page 192 et 83).

À la poêle

Que de possibilités ! On peut y cuire à feu vif toutes les viandes que l'on n'aura pas pu mettre directement sur la grille, à feu doux les sauces à spaghetti ou les champignons, à feu tempéré les crêpes ou les œufs. Tout est dans le réglage de la température, et rien n'est plus simple que de déplacer la poêle du feu vif aux cendres chaudes en la glissant sur une grille. Sur le réchaud à forte intensité, on retirera fréquemment la poêle du feu.

En casserole

De l'œuf à la coque au poulet au beurre, dans tous les recoins du monde, une infinité de plats passent à la casserole… ! Elle est avec le chaudron, son jumeau manchot, l'outil numéro un du cuisinier. Que dire de plus de cet instrument sans lequel il serait impossible de faire bouillir de l'eau ! À moins que…

« On m'a dict encor qu'auant qu'on leur apportât des chaudieres de France, ils faisoyent cuire leur chair dans des plats d'escorce, qu'ils appellent ouragana. Ie m'estonnois comme ils pouuoyent faire cela, car il n'y a rien si aisé à brusler que cette escorce. On me respondit qu'ils mettoyent cinq ou six pierres dans le feu ; et quand l'vne estoit toute bruslante, ils la iettoyent dans ce beau potage, et en la retirant pour la remettre au feu, ils en mettoyent vne autre toute rouge en sa place, et ainsi contininuoyent ils iusques à ce que leur viande fût cuite. »

Paul Le Jeune, *Relations des Jésuites, 1611-1636.*

Le père **Paul Le Jeune** quitte Honfleur en 1632 pour Québec. Non sans un enthousiasme évident, Le Jeune désire évangéliser les Montagnais. Pour ce faire, dès son arrivée et avec un certain empressement, il s'attaque à la barrière linguistique en apprenant l'innu auprès des communautés voisines de Québec où il se rend : « Ils étaient cabanés à plus d'une grande lieue loin de notre maison, et de peur de m'égarer dans les bois je pris un long détour sur les bords du grand fleuve Saint-Laurent. Oh que de peine à trancher les roches de la pointe aux diamants ! C'est un lieu appelé ainsi de nos Français pour ce qu'on y trouve quantité de petits diamants assez beaux. » Sans doute doué pour les langues, il maîtrise rapidement la langue de ses hôtes et traduit le catéchisme en montagnais. Il est l'auteur des célèbres *Relations des Jésuites*, rédigées sous forme de lettres à un supérieur de l'ordre en France, de 1632 à 1640. Celles-ci racontent avec force détails les us et coutumes des Montagnais. Lui-même supérieur des missions et de la Résidence de Québec durant plusieurs années, il fit l'oraison funèbre de Samuel de Champlain en 1635.

Four hollandais

Au bain-marie

Cette technique sert notamment à réchauffer les plats déjà cuits, ou du lait, en évitant qu'ils collent au fond. Sur feu de bois ou réchaud, le bain-marie consiste à déposer un chaudron et son contenu dans l'eau bouillante d'un chaudron plus grand, sans toutefois le submerger.

Au four hollandais

Ce four qu'on fabrique le plus simplement du monde avec deux chaudrons et trois cailloux tient du génie et ouvre toutes grandes les portes à la gastronomie dans l'environnement le plus rustique. Pains ou baniques, gâteaux et, pourquoi pas !, lasagnes, tians ou tout autre plat qui requiert une bonne chaleur ambiante, sortiront de ce four de fortune aussi succulents que du four d'une grande cuisine. La technique est simple : on place trois cailloux de même épaisseur au fond du grand chaudron sur lesquels on dépose le plus petit chaudron couvert et contenant les aliments à cuire. Puis, on couvre le plus grand chaudron avant de le poser sur les cendres chaudes, la braise ou un feu un peu plus vif, selon le degré de chaleur souhaitée. Sur le couvercle du grand chaudron, on dépose ensuite des pierres chaudes ou de la braise pour empêcher toute perte de chaleur.

Au four à pizza

Cette construction permet de cuire des plats de grandes dimensions, telle une pizza. Il s'agit d'ériger deux murets de pierres de chaque côté du feu, d'y déposer la grille, puis au-dessus des murets, deux bûches d'une quinzaine de centimètres de diamètre enrobées de papier aluminium pour les protéger des flammes. Trois branches enrobées de papier aluminium déposées en travers sur ces bûches serviront de charpente au toit du four constitué d'une feuille de papier aluminium. Reste à glisser la pizza ou le plat à lasagne sur la grille et à entretenir la braise au-dessous.

La conservation des aliments

L'emballage

Les pains, les légumes frais et les fruits n'aiment pas le plastique hermétique dans lequel ils transpirent et moisissent. Ils préfèrent le plastique troué ou le papier brun qui régule leur taux d'humidité en absorbant celle-ci ou en lui retransmettant au besoin. On peut, si nécessaire, emballer les sacs de papier dans un sac de plastique troué. Il est bon, en cours de voyage, de vérifier l'état des légumes et de jeter ceux qui pourraient contaminer leurs voisins. De même, il est préférable d'emballer les aliments séchés dans du papier.

Les fines herbes, le persil et la si fragile coriandre s'accommoderont plusieurs jours (jusqu'à une semaine pour le thym, le romarin et autres plantes robustes) dans un linge à vaisselle ou du papier essuie-tout à peine humide qu'on roule.

Les tomates, papayes, mangues, avocats encore verts, emballés individuellement dans une feuille de papier journal, mûrissent souvent avec succès durant un voyage de deux à trois semaines.

Les viandes fraîches se conservent beaucoup mieux emballées sous vide que dans des sacs de plastique étanches ordinaires.

« (Les femmes) nettoyaient les poissons, les coupaient en deux sur la longueur dans le but de les faire sécher et boucaner. Quand c'était fait, elles les enlevaient du feu et les enveloppaient dans des écorces de bouleaux. Ces rouleaux d'écorce étaient à leur tour enveloppés dans des toiles et les femmes rangeaient le tout sur les échafauds, hors de portée des chiens. »

Chroniques de chasse d'un Montagnais de Mingan, Mathieu Mestokosho; propos recueillis par Serge Bouchard, anthropologue.

SERGE BOUCHARD, qui a rencontré Mathieu Mestokosho en 1970 à Mingan dans le cadre de ses études en anthropologie, précise: « Mathieu ne parle pas de l'évolution moderne de la situation. Il est un homme traditionnel, très ancien, qui parle en détail de la vie des Innus sur la terre innue. »

Les conserves

Elles sont lourdes, encombrantes, et il faut brûler, puis écraser et ramener les contenants. Elles n'ont pas la cote dans bien des situations en plein air, quoique... des feuilles de vigne farcies, des cœurs d'artichauts ou une bonne choucroute font rudement plaisir aux voyageurs.

On trouve sur le marché de plus en plus d'aliments en conserve emballés dans des tétras (carton métallisé à l'intérieur, très léger), comme des tomates, de la crème, des confitures, etc.

CONSEIL ■ Les contenants en verre sont à proscrire. Que de dégâts en perspective si ces contenants subissent un choc !

TRUC ! Les œufs enfouis dans la farine et gardés au frais se conservent longtemps. Il faut savoir qu'un œuf reste frais jusqu'à trois semaines après avoir été pondu. ■ Il est toujours possible de transférer des aliments vendus ou préparés en conserve dans deux sacs de plastique étanches.

La congélation

Pour un séjour assez court et sans trop de contraintes de poids, la congélation de plats cuisinés ou de viandes fraîches est une excellente solution au problème posé par la conservation des aliments. En été, ces aliments congelés et emballés de façon étanche garderont les autres aliments au frais en jouant le rôle de sacs de glace.

En hiver, il faut prévoir un temps de décongélation très long dans un lieu chauffé. Toutefois, les plats déjà mijotés tels les viandes en sauce, purée, riz ou légumes, emballés sous vide et congelés, dégèleront et réchaufferont plongés dans une eau très chaude. On les sortira de leur emballage au moment de servir. L'utilisation de deux sacs étanches résistants constitue une bonne alternative à l'emballage sous vide. L'eau chaude sert par la suite à préparer autre chose, telle une tisane.

Les aliments congelés que l'on veut bouillir représentent de bons choix de menus pour l'hiver. Un jambon, par exemple, pourra être plongé dans une eau tiède ou il finira de décongeler avant de cuire (voir *Jambon bouilli*, page 160).

TRUC ! Pour augmenter la durée de la congélation par temps chaud, on emballe les aliments congelés dans du papier journal mouillé que l'on congèle, puis on répète l'opération pour ajouter quelques couches. La décongélation se fera elle aussi par couches successives de papier avant d'atteindre la précieuse nourriture. ■ On conseille de congeler la nourriture en couches les plus minces possibles pour en faciliter la décongélation en hiver.

Photo : Marylou Smith

Mont Jauffret, Monts Groulx, 2008

La déshydratation… et la réhydratation

Mis à part les fruits séchés dont les sucres condensés en exacerbent le goût, on ne mange pas déshydraté par fantaisie. Une nourriture fraîche sera toujours meilleure. Mais les longs voyages ou les randonnées sac au dos de plusieurs jours l'exigent. Autrefois, les autochtones et les explorateurs au long cours survivaient de « fleur » (ou farine), de lard salé et de viande ou de morue séchée. Ces produits sont toujours en vogue chez les aventuriers contemporains. La déshydratation permet toutefois de varier le menu. D'ailleurs, à peu près tout se déshydrate, sauf le vin et la bière malheureusement… Trucs, conseils, aliments « vedettes » en page 54 et menus type à la page 195 devraient aider grandement la démarche des aventuriers débutants.

Pour ceux qui n'ont ni patience, ni habileté particulière en cuisine, il se vend des mets déshydratés tout préparés. Ils sont chers ! Pour tous, les marchés et épiceries regorgent d'excellentes soupes déshydratées, de merveilleuses charcuteries et de fromages à pâte dure dont la durée de vie semble interminable, de fruits secs, de pâtisseries ou d'autres desserts en poudre qui épateront les camarades d'expédition. Viennent ensuite les grandes familles de farines, pâtes, céréales et légumineuses qui

CONSEIL ■ Attention ! La multiplication des plats dans lesquels intervient une grande variété d'ingrédients déshydratés finissent par se ressembler, du potage au dessert… et de l'assiette au lieu d'aisances.

« Les Sauvages ont encore un autre mets qu'ils mangent en voyage, aussi bien qu'à la maison. Quand les citrouilles sont mûres, ils les découpent, écorce et chair ensemble, en d'assez longues tranches, comme on fait pour les navets. Ils pendent ces tranches au soleil pour les faire sécher, ou encore dans leur pièce de séjour ou près du feu, après les avoir entrelacées de diverses manières. Une fois sèches, elles peuvent se conserver durant un très long temps, qui dépasse une année ; lorsqu'on veut les manger, on met ces tranches à cuire, seules ou accompagnées d'autre chose, et ce doit être un assez bon mets, très sucré. (…) Les voyageurs utilisent assez souvent cette nourriture durant leurs randonnées chez les Sauvages. Ils leur achètent des tranches de citrouilles préparées de la sorte et s'en nourrissent. »

Tiré du journal de route du botaniste suédois Pehr Kalm, au Canada, en 1749.

PEHR KALM, naturaliste, est envoyé en mission en Amérique du Nord par l'Académie royale des sciences de Suède de 1748 à 1751. Son séjour en Nouvelle-France, de juin à octobre 1749, semble le ravir. En plus de consigner des descriptions de toutes les plantes qu'il a rencontrées, son journal de voyage est rempli de notes d'une inestimable richesse ethnographique. On y visite des potagers, des marchés publics, des caveaux, on y déguste des mets en compagnie des hôtes de ce visiteur. De retour en Suède, il publiera son passionnant journal.

ont parfois déjà fait le tour de la terre avant de repartir en expédition. Elles sauront tenir le coup et accompagner tous les plats. Reste donc, pour l'essentiel, à prévoir les viandes, poissons, fruits de mer et légumes.

Il existe sur le marché des appareils conçus pour la déshydratation des aliments. On peut toutefois, pour accomplir cette tâche, utiliser le four d'une cuisinière électrique ou à gaz à des températures de 55° à 65°C (130° à 150°F). Si le four semble trop chaud, il est toujours possible de ne l'allumer que par intermittence. On dépose les aliments sur une plaque à biscuits recouverte d'une grille moustiquaire ou d'une pellicule plastique bien tendue, celles-ci ayant pour fonction d'empêcher l'oxydation des aliments. La porte du four entrouverte

Photo : Lyne Bujold

Capelans séchés, Baie des Chaleurs

(environ 2 cm) permettra à l'air de circuler et à l'humidité de s'échapper. Il est bon de retourner les aliments toutes les 45 minutes, sauf le « jerky » (voir *Jerky et marinade*, page 87). La lampe du four doit rester éteinte. On déshydrate uniquement des produits en bon état.

Contrairement aux fruits que l'on déshydrate crus, les légumineuses et les viandes doivent être cuites et certains légumes blanchis avant d'être déshydratés (haricots, chou en feuilles). De même, les fruits de mer et les poissons de préférence à chair ferme (flétan, morue, thon en conserve) doivent être légèrement cuits.

Le secret est dans la réhydratation. Il faut prendre son temps et ne mettre que peu d'eau à la fois. Pour la viande en morceaux, il faut compter toute une journée au moins. On conseille d'utiliser de l'eau chaude. Les légumes requièrent moins de temps de réhydratation, mais encore là, il ne faut rien précipiter. Un peu à la manière d'une plante en pot qu'on a laissé sécher trop longtemps, il faut l'arroser par petites lampées, sans quoi l'eau passe tout droit.

TRUC ! Pour les sorties en période chaude, il faut faire cuire la viande avec le moins de gras possible avant de la déshydrater afin d'éviter qu'elle rancisse. En contrepartie, on doit prévoir une matière grasse (de l'huile d'olive notamment) lors de l'exécution du plat sur le terrain.
■ Il est plus facile et plus rapide de déshydrater et de réhydrater de la viande qu'on a effilochée. Par contre, des morceaux de viande plus gros, tels des petits cubes, donneront un meilleur aspect au plat.

Il faut savoir aussi que la consommation de nourriture insuffisamment réhydratée peut jouer de mauvais tours en provoquant de la constipation.

Certains plats mijotés se prêtent très bien à la déshydratation. Ils retrouveront presque intégralement leur allure initiale : morceaux de viande, légumes et sauce compris (voir *Sauté de veau aux carottes* en page 160). Il en va de même pour les potages assez épais qui reprendront une texture onctueuse (voir *Soupe de courge, patates douces et lentilles, Soupe de betteraves* et *Velouté de panais*, pages 114, 115 et 116). D'autres plats préféreront qu'on assemble des ingrédients réhydratés séparément, cuisinés comme des ingrédients frais : les croquettes de morue, le pâté chinois ou la moussaka par exemple (voir *ces recettes* en pages 158, 170 et 168).

TRUC! Les oignons et l'ail frais sont indispensables. L'odeur d'un oignon qu'on fait revenir dans l'huile d'olive réjouira les gourmets au point de faire oublier toutes les erreurs culinaires qui pourraient être commises par la suite. De même, quelques limes perdues au fond du sac ou du baril réveilleront les salades les plus fades.

«Comme j'étais la seule femme blanche sur ce ruisseau aurifère, durant cet hiver 1894-95, je décidai avec mon mari d'offrir le repas de Noël à tous les mineurs et prospecteurs vivant dans les environs. (...) Et voici le menu de ce fameux premier dîner de Noël servi pour douze :

Lapins farcis - Rôti de caribou
Haricots bruns bouillis - Lard
Sardines du Roi Oscar
Pommes de terre évaporées
Beurre et pain «sourdough»
Pudding aux prunes
Gâteau

Ces pommes de terre évaporées remplaçaient les pommes de terre ordinaires trop lourdes à transporter. Le pudding était fait de fruits secs avec une sauce aux bleuets. Enfin le gâteau, à défaut d'œufs frais, avait été confectionné avec de la poudre d'œuf.»

D'après les souvenirs d'Émilie Tremblay dans la région du Klondike, en 1894.

ÉMILIE FORTIN, née en 1872 à Saint-Joseph d'Alma, mariée à Nolasque Tremblay, entame en 1894 un voyage de noces des plus exotiques... 8 000 kilomètres pour atteindre Fortymile au Yukon. Elle est ainsi la première femme blanche qui ait traversé le col Chilkoot vers le Klondike. Elle passe un premier hiver à Miller Creek avec son mari surnommé Jack dans une cabane recouverte d'un toit de terre. C'est là qu'elle invite les mineurs et prospecteurs de la région à un banquet de Noël. Jusqu'en 1913, le couple Tremblay voyagera dans le Klondike d'une mine à l'autre. Ils s'établiront ensuite à Dawson. Émilie, marraine de 25 enfants et très engagée socialement, est restée une figure marquante de l'histoire du Yukon.

Les aliments «vedettes»

Les céréales

Riz (blanc, entier, minute)
Riz sauvage
Blé : farine, semoule, bulghur
Maïs : farine (polenta), grains
Millet
Quinoa
Orge
Avoine
Sarrasin
Pâtes alimentaires

Les légumineuses

Lentilles (vertes, brunes, rouges)
Fèves blanches, rouges, noires
Fèves Moong
Pois secs
Pois chiches
Flageolets
Soja

Les fromages

Tous les fromages à pâte dure :
parmesan, mimolette,
vieux cheddar, gouda,
crotonese, pecorino,
tomme de chèvre,
bleus, tortillons libanais

Les légumes qui se conservent bien

Oignon
Ail
Échalote grise
Pomme de terre
Carotte
Navet
Betterave
Courges
Céleri rave
Panais
Pois verts
Patate douce
Manioc (Yuca)
Igname
Choux rouge et vert

Les légumes qui se réhydratent bien

Carotte (râpée surtout)
Aubergine
Courgette (zucchini)
Poivron
Haricots verts et jaunes
Maïs en grain
Courges en tranches ou en purée
Champignons
Céleri rave (râpé surtout)

Les fruits qui se déshydratent bien

Tous !
Cantaloup
Mangue
Banane
Ananas
Fraise
Kiwi
Rhubarbe

Les viandes et poissons qui se conservent

Lard salé

Jerky de poulet, de bœuf ou de dinde

Grison

Prosciutto

Saucissons (secs)

Tous les plats mijotés de viandes en cubes ou en filaments

Chorizo

Boudin séché

Magrets de canard cuits dans le sel

Viandes confites

Morue salée ou salée et séchée

Poissons fumés

Les autres aliments qui existent déjà sur le marché

Soupes en sachet

Fruits secs, y compris les noix

Tofu (en tétra)

Tomates séchées

Olives

Loukoum

Lait en poudre

Lait de coco en poudre

Tapioca

Pâte de tomates en tube

Œufs en poudre

Ghee ou beurre clarifié

Conserves de toutes sortes (en boîte ou en tétra)

Les viandes et fruits de mer qui se déshydratent bien

Toutes les viandes hachées maigres, cuites

Poulet ou dinde (poitrines en morceaux ou en tranches, cuites)

Pétoncles crus ou cuits

Crevettes cuites

Autres aliments qui se conservent longtemps

Pain chasseur (ou à croûte épaisse)

Tortillas de maïs ou de blé

Craquelins

Gâteau aux fruits

NOTE : Un tel inventaire mettrait l'eau à la bouche au plus rigoureux des ascètes et, surtout, balaie la routine du revers de la main ! Bien loin d'être exhaustive, cette liste gagnerait en longueur grâce aux essais des lecteurs.

« Les munitions de bouche consistent en général en ce qui se mange & en ce qui se boit. (...) Les chairs sont fraîches, salées, fumées ou séchées. Les salées sont bœufs & pourceaux. Il y a des endroits où on se sert de chair de bœuf mise en poudre. (...) Les poissons salés sont morues, sardines, harengs, saumons, thons & autres. Pour apprêter tout cela, il faut sel, beurre, huile, graisse. Les légumes secs sont une très bonne provision, parce qu'ils se conservent longtemps, et nourrissent fort, spécialement le riz et l'orge ; comme aussi les herbages qui se conservent sèches, comme aulx, oignons, fruits séchés au four, raisins, pruneaux, figues, noix, noisettes. (...) La meilleure provision de bouche qu'on puisse avoir est le biscuit, parce qu'il ne faut ni moulins, ni bois, ni sel, ni eau, ni feu, & se conserve plus de deux ans. »

Père jésuite Georges Fournier, texte tiré de *Hydrographie contenant la théorie et la pratique de toutes les parties de la navigation*, 1643.

On ne raconte pas que le **PÈRE FOURNIER** ait lui-même traversé l'Atlantique. Mais ce membre de la Compagnie de Jésus, universitaire et aumônier de la marine royale, s'est attelé à la rédaction d'un important ouvrage sur l'hydrographie. Il y traite de vents et de marées, de navigation, de ports, de commerce maritime, de pêche, de construction navale, de règles d'éthique par corps de métier et... de réserves de vivres pour les traversées. À l'époque, les voyages aux longs cours sont légion. Exploration, commerce, exploitation, flibusterie, colonisation, tout invite au voyage en mer et les armateurs sont forts occupés !

> « On réduit le blé
> d'Inde quelquefois
> en farine, que l'on
> appelle ici *Farine
> froide*, & c'est une
> des plus commodes
> & des meilleures
> provisions qu'on
> puisse faire pour
> les voyages. »
>
> Père de Charlevoix, *Journal
> d'un voyage fait par ordre du
> Roi dans l'Amérique septen-
> trionale*, 1721.

En écrivant ces lignes, en août 1721, le révérend **PÈRE DE CHARLEVOIX** relate son voyage dans la région des Grands Lacs, sur les traces de son prédécesseur le père Marquette, jésuite comme lui. Plus précisément, Charlevoix est au pays des Miamis et des Pouteouatamis au sud du lac Michigan. Il descend la rivière Saint-Joseph qui se jette dans ce lac et en suit les côtes vers le nord jusqu'à Michillimakinac, à l'entrée du lac Huron. Il s'agit d'un établissement et d'un point de rencontre névralgique pour les Français en Huronie, soit en pays allié. Minutieux, Charlevoix fait part de toutes ses observations, aussi bien en ce qui a trait au relief géographique qu'aux coutumes autochtones.

Pour manger frais et « vivant »

Pourquoi ne pas profiter des largesses de la nature ? Avec tout le respect qu'on lui doit, il va sans dire ! Vivre en plein air peut vouloir dire composer avec les variations du climat et même affronter les intempéries. Ça peut aussi signifier être à l'affût de ce que la nature offre de meilleur.

Les cueillettes

Les jeunes plantes comestibles… entre avril et juin

… têtes de violons ou jeunes pousses de la fougère de l'autruche, pied ou épi mâle des quenouilles, fleur et très jeune fruit de l'asclépiade…

Il faut faire blanchir toutes ces plantes quelques minutes dans l'eau, puis jeter cette eau et les égoutter. On peut les cuire à nouveau dans l'eau quelques minutes pour les attendrir, ou les faire sauter à la poêle et les servir avec un peu de beurre, du sel et du poivre. La subtilité du goût des jeunes fruits de l'asclépiade fait bon ménage avec de l'amande émondée et grillée ou toute autre noix (voir *Têtes de violons, épis de quenouilles ou fruits d'asclépiade aux noisettes*, page 136).

TRUC ■ Pour les plus hardis, il est intéressant de prévoir des aliments déshydratés pour improviser des soupes. Un carré de bouillon de bœuf, de l'oignon et un restant de fromage feront une excellente soupe à l'oignon (voir *Soupe à l'oignon*, page 113). Une soupe de légumes créée à partir d'un restant de la veille s'improvise très bien. De la pomme de terre en flocons et du fenouil se marieront superbement avec de la chair d'un brochet fraîchement pêché (voir *Soupe de poisson*, page 126).

Les petits fruits... de mai à septembre

... fraises, framboises, catherinettes, mûres, bleuets, gro-
seilles, sureau blanc, petites poires, atocas, airelle vigne-
d'Ida, fleur du petit thé (ou anisette), camarine ou graine
noire et chicoutai plus nordiques...

Toutes ces baies sont succulentes, riches en vitamine C
et il suffit de se pencher. Ces fruits cueillis à l'improviste
s'immisceront tout naturellement dans la confection des
desserts, crêpes, muffins, baniques prévus au menu (voir
Banique ... à toutes les sauces, page 77), ou encore dans
les salades.

Canneberges

Noisettes

Les plantes aromatiques… de juin à octobre

… menthe, thé du Labrador, thé des bois, bourgeons de bouleau jaune, jeunes pousses de cèdre…

Ces plantes qui bordent les sentiers promettent les meilleures infusions qui soient.

… oseille, menthe fraîche, baie de genièvre, carvi…

Celles-ci parfumeront plusieurs plats, des entrées à la salade de fruits.

Photo: Pierre LaRue

Chicoutai

Bleuets

« Dieu qui a peuplé la terre de diverses espèces d'animaux, tant pour le service de l'homme que pour la décoration et embellissement de cet univers, a aussi peuplé la mer et les rivières d'autant ou plus de diversité de poissons, qui tous subsistent dans leurs propres espèces, bien que tous les jours l'homme en tire une partie de sa nourriture, et que les poissons gloutons qui font la guerre aux autres, dans le fond des abîmes, en engloutissent et mangent à l'infini : ce sont les merveilles de Dieu. »

Gabriel Sagard, *Le grand voyage au pays des Hurons*, publié en 1632.

On doit à ce missionnaire récollet français un récit détaillé des observations qu'il fit lors de son voyage en 1623-1624, digne d'un précurseur en ethnographie. Plus remarquable encore, **GABRIEL SAGARD** s'est attaqué à la rédaction d'un dictionnaire de la langue huronne qui demeure encore aujourd'hui la référence la plus complète sur l'ancienne langue huronne. Cet homme pieux semblait avoir une compréhension innée des écosystèmes…

Les plantes de bord de mer... de mai à octobre

... arroche, persil de mer, salicorne, petits pois, moutarde sauvage...

À peine sortis du kayak et avant même d'atteindre les petits fruits qui mûrissent sur le littoral, des plantes délicieuses surgissent du sable, s'accrochent au goémon. La plus commune sur les bords du fleuve Saint-Laurent et la plus abondante est l'arroche, qu'on appelle épinard de mer. Une goutte d'huile et une goutte de citron suffisent à assaisonner cette merveilleuse laitue grasse et iodée. Le persil de mer ou écossais, ou encore livèche, aromatisera les poissons et fruits de mer ou, utilisé en abondance et épaissi avec de la pomme de terre, donnera une soupe unique. Les autres plantes, comme la salicorne qui se mange en salade, ne se cueillent qu'en petite quantité.

Les champignons... d'avril à octobre...

... morille, chanterelles, bolets, vesse de loup, « belles des prés » ou psalliote, pied de mouton...

On ne s'aventure pas dans le monde mystérieux des champignons sans guide ! Si peu sont mortels, beaucoup peuvent rendre très malade ou simplement gâcher une fin de semaine ou une sauce. Et pourtant, certains sont si faciles à identifier, impossibles à confondre et tellement savoureux ! Sautés à la poêle dans un peu de beurre est certainement la meilleure façon de déguster ces cadeaux

Thé des bois

« Nous la trouvâmes pleine de beaux arbres, de prairies, de champs de blé sauvage et de pois en fleurs, aussi épais et aussi beaux que je ne vis jamais en Bretagne, tellement qu'il me semblait qu'ils avaient été semés par un laboureur. Il y a force groseilliers, fraisiers et roses de Provins, persil et autres bonnes herbes de grande odeur. »

Jacques Cartier, parlant d'une des Îles-de-la-Madeleine dans *Relation du premier voyage*, 25 juin 1534.

Ce Malouin est trop connu pour être présenté ici. Une remarque toutefois : son enthousiasme à la vue de la riche flore des Îles-de-la-Madeleine laisse croire que la température était fort clémente en cette Saint-Jean de l'an 1534 !

des sols humides. Le bolet offre l'opportunité d'improviser une crème à tout coup mémorable (voir *Crème de bolets, Chanterelles poêlées au beurre, Risotto aux champignons sauvages*, pages 127, 139 et 138).

Pour en savoir plus sur le monde des plantes sauvages, comestibles ou non, pour des explications rigoureuses, mais simples, des livres de références existent. Notamment, Fleurbec a publié une collection de ces petits ouvrages, faciles à transporter et très précis (voir réf. en bibliographie). Les livres sur les champignons foisonnent.

Ci-dessus : chanterelles
Ci-contre : bolet

La pêche

Peut-on imaginer un long voyage en canot sur une rivière ou des lacs poissonneux sans une canne à pêche, une épuisette, quelques leurres et un permis !? Dans le Nord du Québec, en taquinant la truite au hasard des pauses prises au pied des rapides, on peut compter sur un repas ou une entrée de poisson aux deux jours à peu près !

… omble de fontaine ou truite mouchetée, ouananiche, touladi, grand brochet, corégone, achigan, doré, omble chevalier ou arctique…

On se délectera de truites mouchetées (ou ombles de fontaine) cuites sur des roches chaudes (voir *Truite mouchetée ou autres poissons sur roches chaudes*, page 133), à la poêle ou en ceviche (voir *Ceviche*, page 120). On expérimentera la cuisson d'un touladi en papillote dans la cendre ou fumé au bran de scie d'érable (voir *Poisson fumé au thé* ou *Poisson fumé au bran de scie d'érable*, pages 128 et 129). On grillera les filets d'un brochet ou d'un achigan (voir *Filets de poisson amandine*, page 130) ou on en fera une base de soupe (voir *Soupe de poisson*, page 126). Et si l'on est très chanceux, on goûtera à l'inoubliable : un omble chevalier cru !

« Vous ne sçauriez croire, Monsieur, combien de Poissons blancs il se pêche à mi-Canal de la Terre ferme à l'Isle de Missilimakinac ; Sans cette commodité les Outaouas & les Hurons n'y pourroient jamais subsister, car étant obligez d'aller à plus de vingt lieuës dans les bois à la chasse des Orignaux & des Cerfs, ils essuyeroient trop de fatigue de les transporter si loin. Ce poisson est à mon goût celui de tous les Lacs qui peut passer pour bon. Il est vrai, qu'il surpasse toutes les autres espéces de Poisson de Riviére. Ce qu'il y a de singulier, c'est que toute sauce diminuë sa bonté, aussi ne le mange-t-on que boüilli ou rôti sans assaisonnement. »

Lahontan, parlant du grand corégone dans ses récits de voyages publiés la première fois en 1703.

Le **Baron de Lahontan** semble avoir tous les défauts : exaltation, opportunisme, colère, mensonge... Le R.P. De Charlevoix confirme : « Mais si par hazard, Madame, vous tombez sur le Livre de la Hontan, où il est parlé de cette Foire (le grand Commerce des Pelleteries à Montréal), donnez-vous bien de garde de prendre tout ce qu'il dit pour des vérités. La vraisemblance n'y est même pas gardée. » En effet, Lahontan y fait mention d'un autre type de commerce, celui-là entre les Françaises et les Sauvages. Charlevoix est formel : ces propos du Baron ne sont autres que calomnie. Dans ses ouvrages, Lahontan relate ses expéditions vers le lac Érié, Michillimakinac, puis sur la rivière Longue qu'il a cartographiée. Incapables de repérer cette rivière, les historiens ont longtemps cru à une supercherie. Certains ont pensé qu'il s'agissait de la rivière Des Moines ou encore du Missouri. Aujourd'hui, plusieurs sont d'avis que Lahontan a bel et bien navigué le Minnesota. Cet homme controversé, grand ami de Frontenac, gouverneur de Nouvelle-France, a de toute évidence relevé ses récits sur l'Amérique de descriptions et détails bien épicés et d'une bonne dose de romanesque. Grand bien lui en fit ! Maintes fois réédités et traduits durant la première moitié du 18e siècle, on pourrait qualifier ses ouvrages de *best sellers*.

Fjord Pangnirtung, Baffin, 2008

Photo : Maxime Cousineau

La germination

Faire germer des graines en voyage devient intéressant dès lors que la durée du séjour dépasse la durée de vie des légumes à manger cru. Le procédé est simple : on met les graines à tremper dans une gourde durant 12 heures environ. Puis on remplace le bouchon de la gourde par un filet ou un morceau de moustiquaire fixé par un élastique, et on vide la gourde de son eau. On baigne ensuite les graines deux ou trois fois par jour, le temps de remplir et de vider de son eau la gourde qu'on coince dans les bagages ou sous un ballon de pointe du canot. Les jeunes pousses font leur chemin hors de la semence pour donner une verdure vigoureuse qui rendrait la santé à un scorbutique !

La germination de lentilles donne un bon volume de pousses qui sont délicieuses seules, en vinaigrette ou mélangées à la carotte râpée par exemple (voir *Salade de lentilles germées et carottes râpées*, page 97). Plus frêles, la luzerne, l'amer fenugrec et la fève Moong sont également de bons sujets à la germination. Plus lourd et plus farineux, le pois chiche est au nombre des candidats.

Le temps de germination est variable d'une graine à l'autre et fonction des caprices de la température. Même la robuste lentille, qui prend normalement de six à sept jours pour donner une belle pousse verte, ne germera pas ou timidement sous des températures inférieures à 15 °C environ.

Les boissons

La diversité des goûts et des circonstances

En plus de répondre aux besoins en hydratation, les boissons de toutes sortes prennent de l'importance en plein air. Pour les grands comme pour les petits, diversité des couleurs et des goûts, choix du moment pour servir les boissons chaudes ou froides donneront leur sens à des pauses désaltérantes ou réconfortantes. Bouillons, tisanes, jus de fruit ou lait font déjà partie des habitudes. Reste à s'adapter aux conditions et à profiter de l'occasion pour découvrir de nouvelles saveurs.

Côté tisane, il faut savoir que parmi les cueillettes, la menthe excite, contrairement au thé du Labrador qui a un effet apaisant, surtout chez les enfants. En groupe, dans le doute, quelques graines d'anis étoilé rallient les goûts. Parmi les infusions, le thé glacé est une option très appréciée en temps de canicule.

Les jus de fruits concentrés et congelés se conservent assez bien quelques jours et représentent un bon choix en hiver. Ils réveillent agréablement les papilles au matin et diluent avantageusement le rhum du soir. On peut, si nécessaire pour une question de restriction de poids, déshydrater ces jus concentrés. Même si l'entreprise paraît

« J'avais soif. J'ai blessé un bouleau merisier pour boire avec volupté à la coupe parfumée de la sève nouvelle. »

Frère Marie-Victorin, *Croquis Laurentiens*, 1920.

Le frère **MARIE-VICTORIN**, botaniste et amoureux de la nature, est une figure scientifique du Québec des temps modernes. Fondateur du Jardin botanique de Montréal en 1929, professeur à l'Université de Montréal où il forme une première génération de chercheurs à partir des années 1920, il signe la *Flore laurentienne*, un ouvrage majeur où sont consignées plus de 1 500 espèces de plantes qu'il a répertoriées sur le territoire québécois, décrites et dessinées. Vulgarisateur dans l'âme à des fins pédagogiques et patriotiques, il a conçu cet ouvrage illustré à l'intention des scientifiques, certes, mais aussi des amateurs, des étudiants et des agriculteurs. Il s'intéresse à la «valeur humaine» des plantes : surnoms, croyances, utilisations médicales et commerciales. Un siècle plus tard, les ouvrages du frère Marie-Victorin demeurent une référence.

folle, ces jus demeurent meilleurs que n'importe quelle poudre du commerce. Le gingembre confit trempé dans l'eau est une alternative intéressante pour créer un jus à partir d'un aliment sec. Et pourquoi pas! comme ça se fait en Afrique de l'Ouest, le bulbe de gingembre broyé et trempé dans l'eau avec du sucre donne une excellente boisson revigorante.

Le lait fera toujours plaisir aux enfants, même en poudre! Réchauffé avec du miel ou avec une cuillérée de cacao, il redonnera espoir à quiconque en perte de confiance.

Les bouillons, quels qu'ils soient, cessent en plein air de jouer leur rôle préventif au médicament pour reprendre une place à part entière au menu, tout particulièrement en hiver (voir *Bouillon réconfortant*, page 192).

Café et thé ne lâchent jamais leur emprise despotique sur chacun de leurs sujets, dès le lever du jour.

Sous la tente, Monts Otish, 2007

L'alcool

Dans ce domaine, comme pour le café, à chacun ses besoins. Malheureusement, les voyages en plein air peuvent restreindre les quantités à la disposition de ceux dont les besoins sont plus importants. À cet égard, la bière devient vite un luxe!

En matière de vin, si l'on ne peut se permettre le transport aller-retour de bouteilles, on optera pour le vinier dont l'emballage de carton allumera le feu et dont le volume rétrécira au long du voyage. Pour la conservation du précieux liquide, on privilégiera les sacs en aluminium plutôt que les sacs en plastique qui laissent passer la lumière. Néanmoins, rien à faire: le nectar perd dangereusement en qualité après deux semaines. En groupe donc, il vaut mieux n'ouvrir qu'un vinier à la fois pour éviter de tous les gâter en même temps!

Évidemment, les alcools qui se diluent dans l'eau, comme le pastis, promettent d'agréables apéritifs par temps chaud, sans pour autant obliger à traîner beaucoup de poids. Lorsque de longues expéditions interdisent le transport de vin, les alcools forts s'imposent. Suggérons ici la vodka qui, se humant plus qu'elle ne se boit, durera longtemps (à condition de fermer le bouchon aussitôt!) et surtout, accompagne aimablement le poisson frais. N'est-elle pas bien présente dans les mœurs des Russes amateurs de caviar et même des Brésiliens du bord de mer en remplacement de la cachaça (voir *Caipirinha*, page 194)? Les alcools forts non seulement ne gèlent pas en hiver, mais deviennent souvent plus liquoreux, donc meilleurs!

Photo: Frédéric Le Coz

En route vers la rivière Ashnola,
Réserve Similkameen (C.-B.), 2008

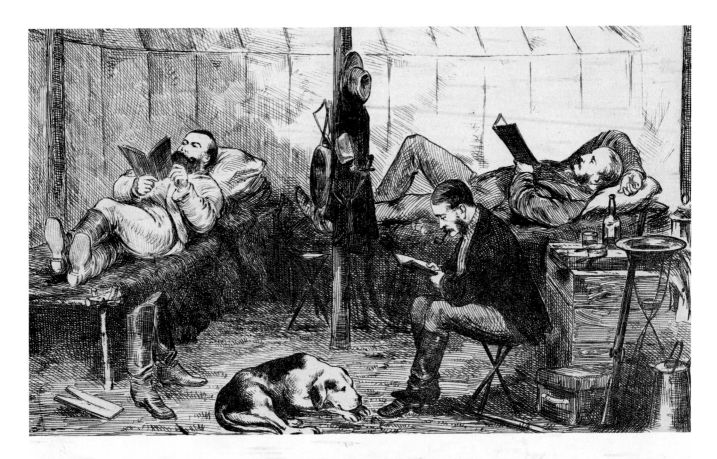

« En règle générale, vous devez vous munir de provisions
qui complètent les principes nutritifs du gibier et du poisson.
Je n'emporte dans mes explorations que du saindoux,
du thé et de la farine, avec un peu de whisky en esprit
que je m'administre et que j'administre à mes hommes,
sous forme de consolations spiritueuses, lorsque l'absence
de nos semblables nous cause de trop cuisants regrets. »

Henri de Puyjalon, *Guide du chasseur de pelleterie*, 1893.

HENRI DE PUYJALON est chasseur. Il a aussi été inspecteur général des pêcheries et de la chasse de la province de Québec vers la fin du 19e siècle. Fin observateur du comportement de la faune, naturaliste amateur, il publiera des guides à l'intention des chasseurs et éleveurs d'animaux à fourrure et des chasseurs sportifs.

Les recettes

Spanish River, Ontario, 2008

Comprendre les pictogrammes

  Maison ou/et **Camp**
L'en-tête de chaque recette contient des pictogrammes qui indiquent si l'essentiel de la préparation se fait à la maison ou au camp.

 Déshydratation
Ce pictogramme indique que la recette nécessite de la déshydratation. Il n'apparaît toutefois pas lorsque la recette contient des produits secs existants sur le marché comme le lait, le lait de coco, les oignons, la purée de pommes de terre et certains fruits comme les pommes et les pruneaux par exemple.

  Frais ou/et **Déshydratation**
Parfois, de la déshydratation n'est requise que pour une version légère de la recette. Dans ce cas, on a indiqué les deux possibilités par un « ou » entre les deux pictogrammes appropriés. On retrouvera alors dans le texte les deux façons de préparer le plat.

 Congélation
Quelques plats peuvent être congelés pour le transport.

 Feu
Quelques plats demandent impérativement une cuisson sur feu de bois (ou de briquettes). Tous les autres mets requérant une cuisson peuvent être cuisinés sur le feu ou au réchaud.

 Printemps
Certains mets composés à base de cueillettes ne peuvent se faire qu'au printemps.

 Été
La préparation de certains plats n'est possible ou conseillée qu'en été.

 Hiver
Certains mets sont beaucoup plus faciles à préparer ou à conserver en hiver… ou ils sont simplement meilleurs en saison froide !

Déjeuners

Céréales granolas maison

14 portions

Ces céréales maison sont bien meilleures que celles du commerce. De plus, on peut les modifier à l'infini en y rajoutant des fruits séchés ou des noix.

2 l [8 tasses] de flocons d'avoine
250 ml [1 tasse] de germes de blé
250 ml [1 tasse] de graines de sésame moulues
250 ml [1 tasse] de raisins secs
250 ml [1 tasse] de graines de tournesol
250 ml [1 tasse] de noix de coco
250 ml [1 tasse] d'amandes
80 ml [⅓ tasse] de poudre de lait
125 ml [½ tasse] d'huile
250 ml [1 tasse] de miel
250 ml [1 tasse] de brisures de chocolat ou de copeaux de chocolat 70 % cacao (facultatif)

À LA MAISON

◆ Préchauffer le four à 200 °C [400 °F]

◆ Étendre les flocons d'avoine sur une tôle et les faire dorer au four en remuant de temps à autre. Lorsque l'avoine est dorée, y ajouter les autres ingrédients secs y compris la poudre de lait (sauf les brisures de chocolat) et remettre au four 5 minutes. Ajouter l'huile et le miel et dorer encore 5 minutes au four.

◆ Retirer du four et attendre que le granola soit refroidi avant d'y mélanger, si désiré, les brisures de chocolat.

◆ Servir avec du lait ou du yogourt.

«Il y a aussi d'autres graines rouges, nommées toca, ressemblant à nos cornioles; mais elles n'ont ni noyaux ni pépins; les Hurons les mangent crues et en mettent aussi dans leurs petits pains.»

Tiré des récits de Gabriel Sagard,
Le Grand voyage du pays des Hurons, 1650.

Scones aux canneberges

16 scones (environ 6 personnes)

La préparation sans œufs de ce petit pain sucré d'origine anglaise se prête bien à la cuisine d'expédition. Proposés ici au déjeuner, les scones se mangent aussi en collation.

750 ml [3 tasses] de farine

80 ml [⅓ tasse] de sucre

12 ml [2 ½ c. à thé] de levure chimique (poudre à pâte)

2 ml [½ c. à thé] de bicarbonate de soude

2 ml [½ c. à thé] de sel

180 ml [¾ tasse] de beurre coupé en petits morceaux

180 ml [¾ tasse] de canneberges séchées

5 ml [1 c. à thé] de zeste d'orange

250 ml [1 tasse] de babeurre frais* ou en poudre, soit 60 ml [4 c. à soupe] auquel on ajoute 250 ml [1 tasse] d'eau au campement

✻ On peut remplacer le lait de beurre ou babeurre par : 250 ml [1 tasse] de lait additionné de 15 ml [1 c. à soupe] de jus de citron qu'on laisse reposer 10 minutes.

Glaçage (facultatif)

15 ml [1 c. à soupe] de crème 35 %

1 ml [¼ c. à thé] de cannelle

30 ml [2 c. à soupe] de sucre

À LA MAISON

◆ Préparer le mélange des ingrédients secs. Ajouter le beurre et sabler au robot. Ajouter les canneberges et le zeste. Ensacher pour le transport au campement.

AU CAMP

◆ Incorporer le babeurre et bien mélanger.

◆ Rassembler la pâte en boule et la diviser en deux. Sur une surface enfarinée, abaisser la pâte en deux ronds d'environ 2 cm d'épaisseur. Couper en 8 pointes.

◆ Cuire les scones à la poêle, à couvert, ou au four hollandais (voir page 45) de 12 à 15 minutes ou jusqu'à ce qu'ils soient dorés. Retirer du four ou du feu.

◆ Si désiré, mélanger les ingrédients du glaçage ensemble et servir avec les scones.

Muffins aux bananes et au chocolat

12 muffins

560 ml [2 ¼ tasses] de farine

7 ml [1 ½ c. à thé] de levure chimique (poudre à pâte)

7 ml [1 ½ c. à thé] de bicarbonate de soude

5 ml [1 c. à thé] de sel

125 ml [½ tasse] de sucre

125 ml [½ tasse] de compote de pommes non sucrée ou 1 portion individuelle du commerce

60 ml [¼ tasse] d'huile

2 œufs

2 bananes écrasées

125 ml [½ tasse] de babeurre*

125 ml [½ tasse] de capuchons de chocolat

✢ On peut remplacer le lait de beure ou babeurre par : 125 ml [½ tasse] de lait additionné de 7 ml [1 ½ c. à thé] de jus de citron qu'on laisse reposer 10 minutes.

À LA MAISON

◆ Préchauffer le four à 180 °C (350 °F).

◆ Mélanger tous les ingrédients secs.

◆ Battre la compote, l'huile, les œufs, les bananes et le babeurre. Ajouter ce mélange aux ingrédients secs, en remuant juste assez pour humecter. Incorporer les capuchons ou pépites de chocolat au mélange.

◆ Cuire les muffins de 20 à 25 minutes ou jusqu'à ce que la pointe d'un couteau insérée au centre ressorte propre.

«Quand on était sus les draves on avait des bleuets, des framboises qu'on allait chercher, des atacas. On y donnait tout' ça pis lui c'était un bon cook, y faisait des bonnes pâtisseries avec ça.»

Tiré des souvenirs de Albert Patry de Ripon, recueillis dans l'ouvrage *Récits de forestiers* dirigé par Robert-Lionel Séguin. Cet homme a commencé en 1914, à l'âge de 15 ans, à travailler comme bûcheron et draveur sur les rivières Blanche et Rouge.

Banique...
à toutes les sauces

6 à 8 portions

750 ml [3 tasses] de farine de blé
15 ml [1 c. à soupe] de levure chimique (poudre à pâte)
5 ml [1 c. à thé] de sel
375 ml [1 ½ tasse] d'eau

À LA MAISON

Préparer le mélange de farine, de poudre à pâte et de sel.

AU CAMP

♦ Déposer le mélange sec dans un contenant. Faire un puits au centre du mélange, ajouter l'eau. Attention! la pâte doit être malléable, mais il ne faut pas trop la pétrir, car la banique deviendrait trop dure à la cuisson.

♦ Il y a plusieurs façons de cuire la banique :

• dans une poêle huilée de 15 à 25 minutes selon sa grosseur ou sur la braise, dans un papier d'aluminium huilé, de 10 à 20 minutes environ. Retourner la banique à mi-cuisson ;

• directement dans la poêle sans corps gras, en saupoudrant le fond de la poêle de farine, ou sur la fonte du poêle à bois farinée ;

• collée au bout d'une branche que chacun tendra au-dessus de la braise. On peut prévoir des petits sacs individuels de mélange sec à banique. Chaque convive y rajoute un peu d'eau, scelle le sac et pétrit lui-même sa pâte qu'il colle au bout de son bâton. Garnie d'un peu de confiture dans le trou laissé par le bâton, les enfants adorent !

♦ Vérifier la cuisson : la banique est prête lorsque la pointe d'un couteau insérée au centre ressort propre.

♦ Pour éviter d'éterniser la cuisson au déjeuner par exemple, il est suggéré de préparer des petites baniques qui ressembleront à des petits pains anglais servis individuellement. On peut également cuire la banique la veille, en soirée.

♦ La banique s'apprête de bien des manières selon qu'on la mange au déjeuner ou en accompagnement d'un plat salé ou en fonction de ce que l'on a sous la main. Ainsi, on peut ajouter à la pâte quelques graines de carvi, des petites baies fraîchement cueillies ou encore la fourrer de crème de marrons.

Némiscau, Rivière Rupert, 2005

Photo : Julie Constantineau et Roger Fafard

Voici une autre idée d'ingrédients à incorporer à une banique délicieuse au déjeuner :

15 ml [1 c. à soupe] de sucre ou miel

1 ml [¼ c. à thé] de cannelle et muscade

250 ml [1 tasse] de noisettes grillées hachées ou canneberges déshydratées ou raisins secs ou même un peu de tout

« Le harangueur avertit qu'il fallait partir devant quatre heures du matin afin d'arriver de bonne heure au fort. Je trouvai, à une lieue et demie sur le midi, près d'une petite rivière, bien du monde qui étaient venus au-devant de nous, qui avaient allumé du feu en nous attendant et avaient apporté du petit blé cuit et farine roulée en pâte avec de la citrouille pour nous donner à manger à tous. »

Tiré des journaux de route de La Vérendrye lors de ses voyages à la recherche de la mer de l'Ouest, à sept lieues du premier fort des Mandanes en compagnie d'une troupe d'Assiniboines, en 1739.

Galette de maïs

6 à 8 portions

500 ml [2 tasses] de farine de maïs

500 ml [2 tasses] de farine de blé blanche

20 ml [4 c. à thé] de levure chimique (poudre à pâte)

80 ml [⅓ tasse] de cassonade

10 ml [2 c. à thé] de sel

160 ml [⅔ tasse] de lait*

2 œufs

125 ml [½ tasse] d'huile ou graisse végétale

✻ ou 40 ml [2 ½ c. à soupe] de poudre de lait dans 160 ml [⅔ tasse] d'eau

À LA MAISON

• Préparer le mélange sec de farines, de levure chimique, de cassonade et de sel. On peut y enfouir les œufs très frais pour les conserver et les préserver des chocs.

AU CAMP

• Préparer le lait à partir de lait en poudre. Ajouter les œufs et l'huile.

• Incorporer ce mélange aux ingrédients secs et pétrir avec les mains. Façonner en boule et aplatir en forme de galette dans une poêle ou un chaudron bien graissé. Couvrir et déposer la poêle sur la grille à feu modéré pour éviter que la galette brûle ou cuire au four hollandais (voir page 45) dans le chaudron couvert sur un bon feu pendant ½ heure environ ou jusqu'à ce que la lame d'un couteau en ressorte propre.

• Servir, au goût, avec des confitures ou de la compote.

« Quand ils mangent le bled d'Inde ils le font bouillir dedans des pots de terre qu'ils font d'autre maniere que nous. Ils le pilent aussi dans des mortiers de bois & le reduisent en farine, puis en font des gasteaux & galettes, comme les Indiens du Perou. »

Tiré des *Œuvres de Champlain*, Chapitre VIII, écrit en 1603.

Les extraits des récits de **CHAMPLAIN** retenus dans ce livre datent de 1603, lors de son premier voyage où il séjourne avec ses hommes sur l'Île Sainte-Croix dans l'embouchure de la rivière du même nom en Acadie.

Crêpes de sarrasin

4 personnes environ

500 ml [2 tasses] de farine de sarrasin

10 ml [2 c. à thé] de poudre à pâte

1 pincée de sel

2 œufs (ou 2 c. à soupe d'œufs déshydratés dans 3 c. à soupe d'eau) (facultatif)

30 ml [2 c. à soupe] de beurre fondu (facultatif)

375 ml [1 ½ tasse] d'eau

AU CAMP

◆ Si ce n'est déjà fait, mélanger les ingrédients secs. Incorporer les œufs et le beurre si disponibles ou désiré. Ajouter de l'eau et bien mélanger jusqu'à l'obtention d'une pâte assez liquide et homogène. Laisser reposer 5 minutes au moins.

◆ Faire les crêpes minces dans une poêle bien chaude et légèrement huilée. Servir avec du sirop d'érable, du Nutella, du fromage, de la confiture ou encore de la cassonade et des petits fruits.

«Pour manger (le blé d'Inde) en pain (...) ils le broient, le pétrissent avec de l'eau tiède et le font cuire sous la cendre chaude, enveloppé de feuilles de blé, et faute de feuilles ils le lavent après qu'il est cuit ; s'ils ont des fézoles ils en font cuire dans un petit pot et en mettent parmi la pâte sans les écacher ou bien des fraises, des bleuets, des framboises, mûres champêtres et autres petits fruits secs et verts, pour lui donner goût et le rendre meilleur, car il est fort fade de soi, si on n'y mêle de ces petits ragoûts.»

Tiré des récits de Gabriel Sagard, *Le Grand voyage du pays des Hurons*, 1650.

Pain doré

4 portions

3 œufs

125 ml [½ tasse] de lait

15 ml [1 c. à soupe] de sirop d'érable

¼ fève de tonka (facultatif) ou 3 ml [½ c. à thé] de vanille

8 tranches de pain [tout dépend de la grosseur des tranches ; si on utilise de la baguette, calculer de 4 à 5 tranches par personne]

30 ml [2 c. à soupe] de beurre

AU CAMP

◆ Bien mélanger les quatre premiers ingrédients. Tremper le pain dans le mélange, bien l'égoutter.

◆ Faire chauffer un poêlon et y faire fondre un peu de beurre. Déposer les tranches de pain et les cuire à feu moyen, jusqu'à ce qu'elles prennent une belle coloration dorée.

◆ Accompagner de fruits frais, de fromage ou de sirop d'érable.

Pain au citron et au pavot

8 à 12 portions

250 ml [1 tasse] de lait ou 60 ml [¼ tasse]
de poudre de lait et 250 ml [1 tasse] d'eau

80 ml [⅓ tasse] de graines de pavot

250 ml [1 tasse] de beurre

330 ml [1 ⅓ tasse] sucre brun (cassonade)

3 œufs ou 135 ml [9 c. à soupe] d'œufs en poudre

500 ml [2 tasses] de farine

15 ml [1 c. à soupe] de levure chimique (poudre à pâte)

2 ml [½ c. à thé] de sel

15 ml [1 c. à soupe] de jus de citron

30 ml [2 c. à soupe] de zeste de citron

À LA MAISON

◆ Préchauffer le four à 180 °C [350 °F].

◆ Dans une casserole, faire chauffer le lait et les graines de pavot sans qu'il y ait ébullition. Retirer du feu et laisser reposer à la température ambiante. Dans un bol, battre le beurre et le sucre. Ajouter les œufs un à un en brassant.

◆ Dans un autre contenant, mélanger les ingrédients secs. Les ajouter au mélange d'œufs en alternant avec le lait (bien mélanger entre chaque addition). Ajouter le jus et le zeste. Cuire dans deux moules à pain ou un grand moule de 22 × 30 cm [9 po × 13 po] bien graissés, de 40 à 50 minutes ou jusqu'à ce que la lame d'un couteau insérée au centre ressorte propre.

Camping léger

À LA MAISON

♦ Ensacher la poudre de lait et les graines de pavot. Dans un autre sac, déposer les autres ingrédients secs.

AU CAMP

♦ Faire chauffer 250 ml [1 tasse] d'eau et y ajouter la poudre de lait et les graines de pavot. Laisser frémir quelques minutes, retirer du feu et laisser reposer à la température ambiante. Ajouter cet appareil au mélange sec, de même que les œufs, s'ils sont frais, et le jus d'un citron. Cuire au four hollandais (voir page 45) dans un moule (ou une casserole) beurré, de 40 à 50 minutes ou jusqu'à ce que la lame d'un couteau insérée au centre ressorte propre.

Petits gâteaux aux pommes et aux pacanes

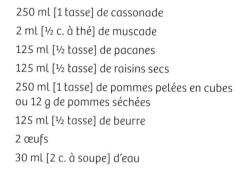

12 portions environ

Ces petites portions peuvent se faire aussi en gâteau et se servir en dessert. Pour se faciliter la tâche en plein air, on cuit le grand ou les petits gâteaux directement à la poêle, sans moule.

500 ml [2 tasses] de farine
5 ml [1 c. à thé] de levure chimique (poudre à pâte)
5 ml [1 c. à thé] de soda
2 ml [½ c. à thé] de sel

250 ml [1 tasse] de cassonade
2 ml [½ c. à thé] de muscade
125 ml [½ tasse] de pacanes
125 ml [½ tasse] de raisins secs
250 ml [1 tasse] de pommes pelées en cubes
ou 12 g de pommes séchées
125 ml [½ tasse] de beurre
2 œufs
30 ml [2 c. à soupe] d'eau

À LA MAISON

♦ Ensacher tous les ingrédients secs. Prévoir à part le beurre et les œufs.

AU CAMP

♦ Battre ensemble le beurre et les œufs. Ajouter le mélange d'ingrédients secs et les pommes en alternant avec l'eau.

♦ Former des petites boules de pâte de 30 ml (2 c. à soupe) environ. Les cuire dans le beurre à la poêle à couvert environ 15 minutes.

♦ Ce mélange peut être préparé en gâteau entier en le cuisant au four hollandais (voir page 45) dans une casserole bien graissée. Il faut alors compter de 30 à 40 minutes de cuisson ou jusqu'à ce qu'une lame de couteau insérée au centre ressorte propre.

Yogourt

Le yogourt du commerce se conserve plusieurs jours, même en plein été, si on prend soin de le garder un peu au frais. Le yogourt étant produit à partir de lait caillé à la chaleur, il surit simplement davantage. Ingrédient incontournable d'une foule de mets indiens et népalais, le yogourt repose dans la pièce où l'on cuisine… le plus souvent sans réfrigérateur. Il se congèle aussi très bien, mais si l'on doit voyager très léger ou longtemps, il est parfaitement possible de le faire durant le séjour en plein air, été comme hiver !

> 100 g [1 tasse] de lait en poudre
> 1 l [4 tasses] d'eau
> 5 g culture de yogourt séchée à froid (1 sachet)

Prévoir un thermomètre, un contenant thermos ou une gourde d'un litre.

AU CAMP

◆ Si on prévoit utiliser une gourde plutôt qu'un thermos, faire chauffer de l'eau dans une casserole haute.

◆ Pendant ce temps, préparer un litre de lait avec du lait en poudre en évitant les grumeaux. Le faire chauffer doucement jusqu'à ce qu'il frémisse. Laisser ensuite refroidir jusqu'à 44 °C. Sans tarder, verser un peu de ce lait dans un bol et y diluer le contenu d'un sachet de culture. Verser ce mélange dans le lait chauffé et bien mélanger. Transvaser aussitôt dans un contenant thermos ou dans une gourde, fermer. Si l'on utilise le thermos, après 4 heures, transvider le yogourt dans un autre contenant qu'on maintiendra au frais.

◆ Si l'on utilise une gourde, la plonger dans la casserole d'eau, elle aussi à 42 °C–44 °C. Maintenir cette casserole au chaud durant 4 heures minimum, en la laissant près du feu ou entourée de roches chaudes par exemple. On peut aussi déposer cette gourde avec deux autres gourdes remplies d'eau très chaude dans une petite glacière ou un sac étanche en les enveloppant d'un vêtement de laine. L'isolant à gourde du commerce devrait également aider à garder la chaleur. Après 4 heures, laisser refroidir doucement ou stopper le processus en disposant la gourde au frais. Attention à ne pas tuer les bactéries dans un lait trop chaud !

Ghee ou beurre clarifié

Le beurre clarifié, appelé ghee en Inde, est idéal pour les longues expéditions en saison chaude. Il a traversé des siècles de moussons dans des millions de foyers sans réfrigérateur.

À LA MAISON

◆ Faire fondre du beurre doux dans une casserole à feu doux jusqu'à ce qu'il se liquéfie. Enlever la mousse qui se forme sur le dessus. Verser doucement le beurre fondu dans un autre contenant en prenant soin de laisser le dépôt liquide, ou petit lait, dans le fond de la casserole. Réfrigérer le ghee pour qu'il se solidifie. Le déposer dans un petit contenant étanche pour le voyage.

Lunchs et mets froids

Îles-de-la-Madeleine, 2008
Photo: Martine Filion et Gérald Jean

Jerky et marinade

500 g [1 lb] de bœuf ou poulet à fondue chinoise, saumon fumé ou tofu

Marinade classique

7 ml [1 ½ c. à thé] de sel

poivre du moulin

30 ml [2 c. à soupe] de cassonade

2 gousses d'ail écrasées

60 ml [¼ tasse] de sauce tamari

30 ml [2 c. à soupe] de sauce Worcestershire

Marinade piquante

45 ml [3 c. à soupe] de sel

15 ml [1 c. à soupe] de moutarde de Dijon

5 ml [1 c. à thé] de thym séché

poivre du moulin

10 ml [2 c. à thé] d'épices à salade *

5 ml [1 c. à thé] de poivre de Cayenne

60 ml [¼ tasse] de jus de pomme

✻ Ce mélange du commerce contient du sel, de l'ail, de l'oignon, du poivron, des herbes et des graines de sésame.

À LA MAISON

• Mélanger les ingrédients. Y laisser mariner la viande, le poisson ou le tofu de 6 à 12 heures au réfrigérateur dans un contenant hermétique. Mélanger à l'occasion.

• Placer la viande sur des grilles à déshydratation. S'assurer qu'il n'y a pas de plis et que les morceaux ne se touchent pas. Si le déshydrateur le permet, régler la température entre 60 °C et 70 °C [de 140 °F à 160 °F] et laisser déshydrater pendant 45 minutes. Puis, diminuer la température à 55 °C [130 °F] durant 45 autres minutes.

• Pour déshydrater au four, régler la température entre 60 °C et 70 °C (de 140 °F à 160 °F) pendant 2 heures, puis diminuer la température à 55 °C (130 °F) pour le reste de la cuisson (voir pages 51, 52).

• Pour savoir si le jerky est prêt, il faut que le morceau, une fois refroidi, craque sans casser en le pliant. Il ne doit pas être mouillé non plus. Le jerky se conserve de 1 à 2 mois à la température de la pièce, dans un endroit sec. On peut également le congeler.

Viande d'orignal fumée en Jerky

« La manière de conserver (la viande d'orignal) dans les bois, où il n'y a point de sel, est de la couper par plaques fort minces, et de l'étendre sur un gril qu'on élève à trois pieds de terre sur des fourches, et qui est couvert de petites gaules de bois, sur lesquelles on étend sa viande, puis on fait du feu dessus le gril et on dessèche au feu et à la fumée cette viande jusqu'à ce qu'il n'y ait plus aucune humeur dedans et qu'elle soit sèche comme une (sic) morceau de bois, et on la met par paquets de trente ou quarante qu'on enveloppe dans des écorces, et étant ainsi empaquetée, elle se garderait ainsi cinq ou six ans sans se gâter. »

Par Cavelier de la Salle, tiré de ses *Récits de trois expéditions entre 1640 et 1687.*

Pemmican

8 portions

Composé de viande de gros gibier séchée et réduite en poudre, de graisse d'ours ou de caribou et de petits fruits séchés, le pemmican est connu de toutes les communautés algonquiennes d'Amérique du Nord. En voici une interprétation, tonique et fort appréciée lors d'excursions hivernales.

> 750 g [1 ½ lb] de bœuf à fondue chinoise
>
> 30 ml [2 c. à soupe] de sauce soja
>
> 30 ml [2 c. à soupe] de miel ou sirop d'érable
>
> 250 ml [1 tasse] de bleuets et canneberges séchés
>
> 125 ml [½ tasse] d'oignons secs
>
> 175 ml [¾ tasse] de gras de canard fondu

À LA MAISON

* Faire mariner la viande dans la sauce soya et le miel (ou le sirop d'érable) au moins 12 heures. La faire sécher (voir *la déshydratation du jerky*, page 87). Couper et hacher la viande. Ajouter les bleuets, les canneberges et les oignons. Mélanger.

* Compacter au fond d'un plat. Ajouter du gras de canard fondu. Faire refroidir. Façonner en boules. Mettre dans du papier d'aluminium. Garder au froid.

* Servir au dîner avec des mangues réhydratées, des biscottes et du fromage de chèvre.

Magrets de canard séchés

6 à 8 portions

Idéale en saison froide, la salaison de cette viande de choix se fait avant le voyage ou en route. La charcuterie qui en résulte se conservera plusieurs jours.

> 2 magrets de taille similaire
>
> gros sel de mer
>
> poivre grossièrement moulu
>
> baies de genièvre, au goût
>
> ficelle de boucher
>
> linge à vaisselle

À LA MAISON

* Frotter les magrets de gros sel du côté de la chair rouge. Rajouter du sel pour bien couvrir toutes les surfaces des magrets et laisser dégorger au frigo durant une journée et demie environ.

* Les sortir du sel, saupoudrer les surfaces de chair rouge de poivre du moulin. Au goût, assaisonner aussi de quelques baies de genièvre écrasées au pilon. Fermer les magrets l'un sur l'autre, chair contre chair, et les ficeler bien serrés à la manière d'un rôti pour ne plus voir que les surfaces de graisse extérieures. Rouler cette petite pièce de viande dans un torchon propre et déposer au frigo ou conserver au frais lors du voyage pendant 10 jours.

• Essuyer les pièces de viande et couper en tranches minces, en biais, au moment de servir. Cette charcuterie se mange seule, avec des olives ou en sandwich avec un peu de beurre, de la moutarde forte et des cornichons.

Terrine aux épinards et au maïs

4 à 6 portions

30 ml [2 c. à soupe] de graines de sésame

250 ml [1 tasse] ou plus d'épinards frais et hachés

400 g [2 ½ tasses] de tofu (1 paquet du commerce)

5 ml [1 c. à thé] de sel de mer

125 ml [½ tasse] de farine de blé entier

250 ml [1 tasse] de flocons d'avoine

250 ml [1 tasse] de cheddar fort râpé

1 oignon émincé

3 ml [½ c. à thé] de graines d'aneth

au goût fines herbes fraîches

3 ml [½ c. à thé] de moutarde de Dijon ou aromatisée

500 ml [2 tasses] de maïs en grains

500 ml [2 tasses] de poivrons rouges hachés

À LA MAISON

• Huiler un moule à pain et en tapisser le fond de graines de sésame.

• Mettre les épinards, le tofu et le sel dans un bol et laisser reposer 10 minutes.

• Mélanger avec tous les autres ingrédients et pétrir cette pâte. Bien tasser cette pâte dans le moule à pain et cuire au four à 180 °C [350 °F] pendant 1 heure à 1 heure 15.

• Laisser refroidir au moins 10 minutes avant de démouler.

Terrine d'orge

4 à 6 portions

125 ml [½ tasse] ou 100 g d'orge perlée
125 ml [½ tasse] ou 100 g de lentilles du Puy
huile d'olive
1 oignon haché
250 ml [1 tasse] de champignons hachés fins
1 carotte râpée
250 ml [1 tasse] de courgettes râpées
1 poivron rouge haché finement
2 œufs
250 ml [1 tasse] de gruyère râpé
15 ml [1 c. à soupe] de fines herbes mélangées:
 ciboulette, thym, romarin
3 ml [½ c. à thé] de zeste de citron
sel et poivre

À LA MAISON

* Cuire l'orge et les lentilles.

* Dans l'huile d'olive, faire sauter l'oignon, les champignons, la carotte, les courgettes et le poivron. Refroidir légèrement.

* Ajouter l'orge, les lentilles, les œufs et le fromage. Assaisonner de fines herbes, du zeste, du sel, du poivre et d'une cuillère à soupe d'huile d'olive.

* Mettre ce mélange dans un moule tapissé de papier sulfurisé ou papier parchemin.

* Cuire au four à 180 °C [350 °F] à couvert pendant environ 45 minutes. Découvrir et cuire encore 25 minutes.

* Laisser refroidir au moins 20 minutes avant de démouler.

Végé-pâté

8 portions

En plus d'être délicieux, le végé-pâté a l'avantage de se conserver beaucoup mieux qu'un pâté à la viande. Les ingrédients qui le composent sont en effet bien moins périssables et tout aussi nourrissants.

200 g [1 tasse] de graines de tournesol (au naturel)
227 g [ou 1 contenant du commerce]
 de champignons coupés en quartiers
2 carottes râpées
1 pomme de terre en cubes
2 gousses d'ail
180 ml [¾ tasse] d'huile d'olive
45 ml [3 c. à soupe] de semoule cuite [couscous]
15 ml [1 c. à soupe] de sauge fraîche hachée
 ou la moitié de sauge sèche
15 ml [1 c. à soupe] de thym frais
 ou la moitié de thym séché
sel et poivre

À LA MAISON

* Préchauffer le four à 180 °C [350 °F].

* Moudre les graines de tournesol à l'aide d'un moulin à café.

* Déposer tous les ingrédients dans un robot culinaire. Faire tourner jusqu'à l'obtention d'une pâte onctueuse. Verser l'appareil dans un moule rectangulaire de 22 × 30 cm [9 po × 12 po].

* Cuire 30 minutes ou jusqu'à ce qu'une croûte brune soit formée sur le dessus.

Terrine d'orge

Caviar d'aubergine

4 portions

1 ou 2 aubergines entières
(totalisant environ 900 g)

2 gousses d'ail émincées

15 ml [1 c. à soupe] de tahini
(ou graines de sésame moulues)

3 ml [½ c. à thé] de cumin moulu

5 ml [1 c. à thé] de graines de coriandre
ou 15 ml [1 c. à soupe] de coriandre fraîche

5 ml [1 c. à thé] de paprika

15 ml [1 c. à soupe] d'huile de sésame
(ou un peu plus d'huile d'olive)

45 ml [3 c. à soupe] de jus de citron

sel au goût

À LA MAISON

◆ Mettre les aubergines entières sur une tôle au four à 180 °C (350 °F) jusqu'à ce qu'elles ramollissent. Les sortir du four et les laisser refroidir pour pouvoir les manipuler.

◆ Retirer la peau des aubergines et déposer la chair dans un robot culinaire. Ajouter l'ail, le tahini, le cumin et les graines de coriandre. Réduire en purée.

◆ Dans un bol, déposer l'appareil et y ajouter le paprika, l'huile, le jus de citron et le sel si nécessaire. Mélanger et transvider dans un contenant étanche pour le voyage.

◆ On servira le caviar d'aubergine sur des pains pitas, des craquelins ou du pain de seigle.

Salade de fenouil, de pignons et de canneberges

4 portions

Le bulbe de fenouil est résistant et dégage un parfum d'été. Marié aux pignons et aux canneberges, il compose une salade croustillante.

2 gros bulbes de fenouil
2 échalotes grises
125 ml [½ tasse] de canneberges sèches
90 ml [⅓ tasse] de pignons
jus d'une orange
5 ml [1 c. à thé] de moutarde à l'ancienne
125 ml [½ tasse] d'huile d'olive
sel et poivre

AU CAMP

♦ Émincer les bulbes de fenouil et les échalotes. Hacher les canneberges séchées. Griller légèrement les pignons à la poêle. Mélanger tous les ingrédients. Saler et poivrer. Servir.

Salade de mangues et d'avocats

4 portions

Cette salade est rafraîchissante et permet de se faire plaisir en sortant un avocat et une mangue en plein bois après quelques jours.

3 avocats*
2 mangues*
60 ml [4 c. à soupe] de coriandre hachée
(ou en pot conservée dans l'huile)
1 gousse d'ail hachée finement
jus d'une lime
30 ml [2 c. à soupe] d'huile d'olive
sel et poivre

✳ On conseille de choisir des fruits encore assez verts et de les cuisiner lorsqu'ils sont prêts.

AU CAMP

◆ Couper les avocats et les mangues en cubes. Ajouter les autres ingrédients. Saler et poivrer. Servir.

Salade de pâtes au crabe et au curry

ou

8 portions

Voilà un plat soutenant en prévision d'un long après-midi de portage, de mauvais temps ou d'effort soutenu.

1 kg de crabe en boîte
1 gros cantaloup
1 kg de fusilli ou penne
1 tube ou 145 ml de mayonnaise
60 ml [4 c. à soupe] ou plus de poudre de curry
3 boîtes de châtaignes d'eau (de 227 ml chacune)

Camping léger

À LA MAISON

◆ Déshydrater le crabe. Couper le cantaloup en cubes et le déshydrater. Le melon ayant tendance à cuire, arrêter la déshydratation quand les morceaux sont encore un peu collants.

AU CAMP

◆ Réhydrater le crabe en ajoutant de l'eau peu à peu et en petite quantité. Le temps de réhydratation est d'environ 15 minutes. Réhydrater le melon. Prévoir plus de temps que pour le crabe.

◆ Cuire les pâtes. Bien les égoutter et les laisser refroidir. Mélanger tous les ingrédients et servir en salade froide.

Couscous en taboulé

4 portions

250 ml [1 tasse] de couscous
60 ml [¼ tasse] de raisins de Corinthe
250 ml [1 tasse] d'eau bouillante
60 ml [¼ tasse] d'amandes grillées
375 ml [1 ½ tasse] de tomates en dés [étuvées] et égouttées
2 oignons verts hachés
15 ml [1 c. à soupe] de thym haché [ou 2 c. à thé de thym séché]
45 ml [3 c. à soupe] de menthe fraîche hachée [ou 2 c. à soupe de menthe sèche]
45 ml [3 c. à soupe] de persil frais haché (ou 2 c. à soupe de persil séché)
60 ml [¼ tasse] d'huile d'olive extra vierge
jus d'un citron
sel et poivre

AU CAMP

◆ Saler et huiler le couscous. Ajouter les raisins, puis verser l'eau bouillante. Couvrir et laisser reposer 10 à 15 minutes maximum.

◆ Pendant ce temps, mélanger le reste des ingrédients dans un autre contenant.

◆ À l'aide d'une fourchette, défaire le couscous. Puis l'ajouter aux autres ingrédients. Bien mélanger et servir.

Salade de betteraves et de pommes

4 portions

Cette délicieuse salade à base d'ingrédients déshydratés ne prend que très peu de place dans les bagages. Évidemment, elle est tout aussi bonne lorsqu'elle est composée de betteraves fraîches qui se conservent fort bien pendant plusieurs semaines.

1 l [4 tasses] de betteraves cuites en cubes
500 ml [2 tasses] de pommes déshydratées
45 ml [3 c. à soupe] de persil sec

Vinaigrette

80 ml [⅓ tasse] d'huile de carthame ou de tournesol
1 gousse d'ail écrasée
15 ml [1 c. à soupe] de jus de citron
10 ml [2 c. à thé] de miel
10 ml [2 c. à thé] de tamari
5 ml [1 c. à thé] de basilic
sel et poivre

Camping léger

À LA MAISON

◆ Déshydrater les betteraves, les pommes et le persil. Ensacher ensemble.

AU CAMP

◆ Réhydrater le mélange de betteraves, de pommes et de persil. Prévoir une vingtaine de minutes. Pendant ce temps, préparer la vinaigrette. Ajouter au premier mélange. Servir.

Salade de lentilles germées et de carottes

OU

4 portions

Un vrai bonheur lors des longues expéditions !

1 l [4 tasses] de lentilles germées*
6 carottes râpées
60 ml [¼ tasse] de raisins secs
1 échalote grise émincée
15 ml [1 c. à soupe] de poudre de curry

125 ml [½ tasse] d'huile d'olive
jus d'une demi-orange
sel et poivre

✣ 125 ml de lentilles sèches donnent 1 litre de lentilles germées

◆ Commencer la germination des lentilles de 5 à 7 jours à l'avance (voir page 64) durant le voyage ou à la maison.

AU CAMP

◆ Mélanger tous les ingrédients. Saler et poivrer. Servir.

Camping léger

◆ Déshydrater les carottes râpées. Si nécessaire, déshydrater également du concentré de jus d'orange congelé.

Salade de haricots rouges

4 portions

350 g [1 ½ tasse] de fèves
1 l [4 tasses] d'eau
2 gousses d'ail émincées
250 ml [1 tasse] d'amandes ou cajous
60 ml [¼ tasse] d'huile d'olive
15 ml [1 c. à soupe] de vinaigre de vin
sel, poivre, Cayenne

AU CAMP

◆ Faire tremper les fèves toute une nuit et les cuire dans l'eau durant 1 ½ heure environ ou jusqu'à ce qu'elles soient tendres. Égoutter et laisser refroidir.

◆ Ajouter tous les autres ingrédients et servir en salade.

Vivres de course

Rivière Nastapoka, 2008
Photo: Sylvie Michaud

Dukkah ou mélange de noix et de graines du Moyen-Orient

Environ 4 portions

Les Anglais nomment Gorp les mélanges de graines et de noix qu'on mange à la pause sur le sentier. Il s'agirait d'un acronyme de « Good Old Raisins and Peanuts » ou de « Gobs Of Raw Protein ». En voici une variante d'origine égyptienne, tout en parfums, qui porte déjà un joli nom.

30 ml [2 c. à soupe] de graines de cumin
30 ml [2 c. à soupe] de graines de coriandre
quelques grains de poivre
160 ml [⅔ tasse] de graines de sésame
125 ml [½ tasse] de noisettes
125 ml [½ tasse] de pois chiches rôtis *
5 ml [1 c. à thé] de thym séché
5 ml [1 c. à thé] de sel
30 ml [2 c. à soupe] ou plus de paprika au goût

✤ Vendus tels quels en épicerie

À LA MAISON

◆ Faire revenir dans un poêlon les graines de cumin, de coriandre, de poivre et de sésame, jusqu'à ce qu'ils soient dorés. Retirer du feu et laisser refroidir.

◆ Faire revenir dans le même poêlon les noisettes et les pois chiches. Retirer du feu.

◆ À l'aide d'un mortier, broyer le mélange de graines et la moitié du mélange de noisettes et de pois chiches.

◆ Ajouter le reste des ingrédients, y compris les noisettes et les pois chiches non moulus, et bien mélanger.

◆ Grignoter tel quel ou servir avec des pitas trempés dans de l'huile d'olive.

Barres au Muësli

24 barres

Ces petites barres qui se glissent dans la poche sont aussi nutritives qu'un bol de céréales! Délicieuses, elles restent tendres hiver comme été.

180 ml [¾ tasse] de beurre en morceaux
180 ml [¾ tasse] de beurre d'arachide
180 ml [¾ tasse] de miel
375 ml [1 ½ tasse] de cassonade
500 ml [2 tasses] de flocons d'avoine
250 ml [1 tasse] de céréales de riz soufflé
250 ml [1 tasse] de flocons de son
125 ml [½ tasse] de son d'avoine
125 ml [½ tasse] de germes de blé
125 ml [½ tasse] de noix de coco râpée non sucrée
60 ml [¼ tasse] de graines de sésame
125 ml [½ tasse] de graines de tournesol non salées
250 ml [1 tasse] d'amandes brunes hachées grossièrement
125 ml [½ tasse] d'abricots secs hachés finement

À LA MAISON

◆ Préchauffer le four à 100 °C (200 °F).

◆ Dans une casserole, faire fondre le beurre, le beurre d'arachide, le miel et la cassonade à feu doux, en remuant pour bien mélanger. Ajouter le reste des ingrédients. Verser et comprimer l'appareil dans un moule beurré de 22 × 30 cm (9 po × 13 po).

◆ Cuire 20 minutes au four. Laisser refroidir 2 heures avant de couper en barres.

Barres aux abricots

Au moins 12 portions

200 g [1 tasse] de beurre mou

80 ml [⅓ tasse] de cassonade

300 ml [1 ¼ tasse] de lait condensé sucré [1 boîte]

500 ml [2 tasses] d'abricots séchés, hachés

650 g biscuits secs à la vanille écrasés [2 paquets]

À LA MAISON OU AU CAMP

◆ Mélanger le beurre, la cassonade et le lait. Ajouter les abricots et les biscuits. Bien mélanger.

◆ Presser cet appareil dans un moule graissé ou un plat de plastique. Attendre au moins 4 heures ou servir le lendemain. Couper une fois figé.

Boules de dattes et de pistaches

4 ou 6 portions

Ces vivres de course qui tiennent dans la mitaine sont au nombre des favoris des randonneurs d'hiver.

180 ml [¾ tasse] de pistaches non salées écalées
500 ml [2 tasses] de dattes dénoyautées

À LA MAISON

◆ Passer les pistaches au robot culinaire pour les réduire en granules. En réserver les $^2/_3$ et poursuivre avec $^1/_3$ des pistaches jusqu'à obtenir une farine. Réserver.

◆ Passer les dattes au robot jusqu'à l'obtention d'une pâte.

◆ Dans un bol, mélanger la pâte de dattes et la portion des pistaches encore granuleuses. Rouler une douzaine de petites boules de ce mélange dans la main et les enrober de farine de pistache.

◆ Les laisser sécher dans un plat sur le comptoir en évitant qu'elles se touchent. Puis les envelopper une à une dans du papier ciré.

Carrés aux figues et au whisky

16 portions

60 ml [¼ tasse] d'eau

125 ml [½ tasse] de whisky ou autre alcool fort

125 g [¼ lb] de figues séchées, parées

30 ml [2 c. à soupe] de sirop de maïs

810 ml [3 ¼ tasses] de biscuits secs à la vanille émiettés (325 g)

250 ml [1 tasse] de sucre à glacer

250 ml [1 tasse] de pacanes en morceaux

45 ml [3 c. à soupe] de farine

2 ml [¼ c. à thé] de cannelle moulue

250 ml [1 tasse] de brisures de chocolat miniatures

60 ml [¼ tasse] de sucre

À LA MAISON

◆ Dans une casserole, porter à ébullition l'eau et la moitié de l'alcool. Ajouter les figues, couvrir et laisser gonfler pendant 10 minutes.

◆ Retirer les figues, les laisser refroidir, puis les réduire en purée. Ajouter le sirop de maïs et le reste de l'alcool et mélanger. Réserver.

◆ Dans un bol, mélanger les biscuits secs à la vanille, le sucre à glacer, la moitié des pacanes, la farine, la cannelle et les brisures de chocolat. Ajouter la préparation aux figues et mélanger.

◆ Dans un autre bol, mélanger le reste des pacanes broyées et le sucre.

◆ Dans un plat de 20 × 20 cm (8 × 8 po), saupoudrer la moitié du mélange sucre/pacanes broyées. Étendre par-dessus le mélange aux figues sur une épaisseur de 3 cm. Saupoudrer alors le dessus de la galette avec le reste du mélange sucre/pacanes broyées. Couper en morceaux pour le service.

◆ On peut aussi façonner la préparation aux figues en boules de 3 cm de diamètre, les rouler dans le mélange de pacanes et de sucre pour bien les enrober, et les mettre sur une feuille de papier ciré. Déposer les boules aux figues dans un contenant hermétique pendant au moins 24 heures pour permettre aux saveurs de se mélanger.

Rivière Madawaska, Ontario, 2007

Photo : Érik Lalancette

Pain Logan
(ou Hudson Bay Bread)

16 portions

C'est l'un des pains les plus denses, les plus savoureux qui soit et ayant une excellente durée de conservation, allant jusqu'à un mois. Un morceau gros comme un poing accompagné de fromage est un lunch qui en bouche un coin ! Le pain tire son nom d'une équipe d'expédition ayant « survécu » grâce à celui-ci lors de la première ascension du mont Logan.

1 750 ml [7 tasses] de différentes farines (blanche, de blé, flocons d'avoine, de maïs, de soya, etc.)

250 ml [1 tasse] de cassonade

5 ml [1 c. à thé] de sel

fruits secs et noix au goût

375 ml [1 ½ tasse] de lait

375 ml [1 ½ tasse] de miel et mélasse (moitié-moitié)

2 œufs*

250 ml [1 tasse] d'huile végétale

125 ml [½ tasse] de beurre ramolli ou margarine

✳ Les œufs sont facultatifs. Ils servent à augmenter la valeur calorique du pain. Ils peuvent être remplacés par 15 ml [1 c. à soupe] de fécule de maïs et 30 ml [2 c. à soupe] d'eau par œuf supprimé dans la recette.

À LA MAISON

◆ Préchauffer le four à 95 °C (200 °F). Graissser un moule de 22 × 30 cm (9 po × 13 po) et un moule carré de 23 cm (9 po).

◆ Mélanger tous les ingrédients secs et y ajouter les liquides et les œufs (ou substituts). La pâte doit rester très consistante. Si la pâte est trop sèche, ajouter du liquide, spécialement du lait et du miel.

◆ Déposer l'appareil en le pressant dans les moules graissés. Cuire au four au moins 1 heure. La cuisson, qui peut durer plus de 2 heures, consiste à sécher le pain en éliminant toute humidité. Ce pain très dense ne lève pratiquement pas. Il est prêt lorsque la pointe d'un couteau en ressort propre.

◆ Ce pain est plus savoureux refroidi et vieilli durant au moins 2 jours. On peut ajouter diverses fantaisies aux fruits et noix telles que muscade, clous de girofle moulus, cannelle, pommes séchées, carottes râpées séchées ou autres. On peut aussi remplacer quelques fruits par de la marmelade, de la confiture aux fraises, des pépites de chocolat.

Biscuits à l'avoine

18 macarons environ

310 ml [1 ¼ tasse] de farine

310 ml [1 ¼ tasse] de flocons d'avoine

180 ml [¾ tasse] de sucre brut ou sucre

125 ml [½ tasse] de beurre fondu

5 ml [1 c. à thé] de vanille

30 ml [2 c. à soupe] de lait

1 œuf

125 ml [½ tasse] noix, raisins,
brisures de chocolat,
carotte rapée (facultatif)

À LA MAISON

◆ Préchauffer le four à 180 °C [350 °F].

◆ Mélanger tous les ingrédients jusqu'à l'obtention d'une pâte assez homogène. Abaisser cette pâte et y découper des biscuits à l'aide d'un verre renversé. Déposer les macarons sur une plaque. Cuire de 12 à 15 minutes. Attention à ne pas les cuire plus longtemps car les biscuits durcissent beaucoup en refroidissant.

Soupes

Soupe thaïe

4 portions en soupe-repas
6 à 8 portions en entrée

*Piquant et exotisme caractérisent cette soupe qui séduit
à tout coup. Elle réchauffe les voyageurs transis.*

- 3 l [12 tasses] de bouillon de poulet (6 cubes)
- 60 g poudre de crème de coco (1 sachet)
- 1 tige de citronnelle
- 3 feuilles de lime
- 1 morceau de gingembre tranché
- 45 ml [3 c. à soupe] de tom yum (pâte de crevettes)
- 5 ml [1 c. à thé] de sucre
- 400 g [1 lb environ] de poulet ou poisson ou crevettes cuits
- 300 g vermicelle de riz (1 paquet du commerce)

AU CAMP

- Préparer le bouillon de poulet. Y ajouter tous les ingrédients à l'exception des vermicelles et laisser chauffer 5 à 10 minutes à feu moyen.

- Pendant ce temps, cuire les vermicelles dans de l'eau bouillante de 2 à 3 minutes. Ajouter les vermicelles à la soupe.

- Si désiré, ajouter à la dernière minute des légumes tels que des fleurettes de brocoli, des champignons, des échalotes ciselées, de la coriandre ou garnir de basilic thaï émincé.

Camping léger

Prévoir des crevettes, du poisson ou du poulet cuits et déshydratés.

Photo : Lyne Bujold

Velouté de panais

6 portions

Un délice qui surpasse tous les veloutés ou autres crèmes en sachet du commerce! On peut remplacer tout aussi avantageusement les panais par des carottes.

1,25 l [5 tasses] de bouillon de légumes ou de poulet
30 g [2 c. à soupe] de beurre
1 oignon émincé
1 poireau émincé
500 g [1 lb] de panais pelés et émincés
15 ml [1 c. à soupe] de curry en poudre
15 ml [1 c. à soupe] de cumin moulu
325 ml [1 ¼ tasse] de crème (facultatif)

À LA MAISON

• Porter le bouillon à ébullition. Réserver.

• Dans une casserole, faire fondre le beurre. Y faire revenir l'oignon, le poireau puis le panais environ 5 minutes à couvert. Ajouter le curry et le cumin et cuire 1 minute. Incorporer le bouillon chaud et cuire les légumes encore 10 minutes à feu moyen.

• Passer la soupe au robot culinaire jusqu'à texture onctueuse.

• Déshydrater jusqu'à l'obtention d'un cuir.

AU CAMP

• Réhydrater par étapes jusqu'à obtenir 1,5 litre de soupe. Réchauffer la soupe doucement, en évitant de la laisser bouillir. Ajouter la crème, si désiré, et réchauffer à feu doux.

Soupe de courge, de patates douces et de lentilles orange

4 portions

Très nourrissante, un brin sucrée, cette soupe déshydratée reprend superbement sa texture au contact de l'eau.

500 g [1 lb] de courge butternut
350 g [¾ lb] de patates douces
15 ml [1 c. à soupe] d'huile d'olive
1 oignon finement haché
2 poivrons rouges hachés
1,5 l [6 tasses] de bouillon de légumes
180 ml [¾ tasse] de lentilles orange
15 ml [1 c. soupe] de tahini

À LA MAISON

◆ Éplucher la courge et les patates douces et les couper en cubes.

◆ Dans une casserole, verser l'huile et y faire revenir l'oignon et l'un des deux poivrons hachés pendant 2 à 3 minutes. Baisser le feu avant d'ajouter la courge et les patates douces. Poursuivre la cuisson 8 minutes à couvert, en remuant de temps en temps.

◆ Verser le bouillon et augmenter le feu jusqu'à ébullition. Baisser le feu et laisser mijoter 10 minutes à couvert.

◆ Ajouter les lentilles et poursuivre la cuisson 7 minutes ou jusqu'à ce que les lentilles soient tendres. Ajouter le tahini. Passer la soupe au robot culinaire jusqu'à texture onctueuse.

◆ Déshydrater jusqu'à l'obtention d'un cuir. Prévoir un poivron rouge haché et déshydraté pour la garniture.

AU CAMP

◆ Réhydrater par étapes jusqu'à l'obtention de 1,5 litre de soupe [6 tasses]. Réchauffer la soupe doucement, en évitant de la laisser bouillir.

◆ Pendant ce temps, réhydrater le poivron haché. Garnir de poivron et servir.

Soupe de betteraves

4 portions

*Les betteraves et les pommes de terre à la base de ce **bortcht** de tradition russe sont résistantes. Elles ne posent pas trop de problèmes de conservation, mais sont toutefois lourdes et encombrantes. En revanche, cette soupe préparée à la maison se déshydrate et, au camp, retrouve magnifiquement sa texture onctueuse.*

700 g [1 ½ lb] de betteraves

250 g [½ lb] de pommes de terre

1 oignon moyen haché finement

15 ml [1 c. à soupe] de beurre ou huile

1 gousse d'ail hachée

1,5 l [6 tasses] d'eau

5 ml [1 c. à thé] de graines de carvi

2 belles branches d'estragon frais ou 10 ml [2 c. à thé] d'estragon séché

60 ml [¼ tasse] de crème sure ou yogourt (facultatif)

AU CAMP

• Dans une casserole, couvrir d'eau les betteraves entières et les cuire jusqu'à ce qu'elles soient faciles à peler. Égoutter, refroidir et peler les betteraves. Les couper en morceaux et les réserver. Jeter l'eau.

• Peler les pommes de terre et les couper en morceaux.

• Dans un chaudron, faire colorer l'oignon dans le beurre ou l'huile. Y ajouter les morceaux de betteraves et de pommes de terre, l'ail, couvrir d'eau (1,5 litre environ ou 6 tasses) et porter à ébullition.

• Baisser le feu, ajouter les graines de carvi légèrement écrasées au pilon (ou entre deux roches bien propres) pour en libérer l'arôme et la moitié de l'estragon.

• Lorsque les légumes sont tendres, les piler à l'aide d'une fourchette.

• Servir en ajoutant une cuillerée de crème sure ou de yogourt dans chaque bol et garnir de quelques feuilles d'estragon.

Camping léger

À LA MAISON

• Procéder exactement de la même façon que ci-haut, sans toutefois couvrir complètement d'eau les légumes lors de la cuisson de la soupe. Après avoir réduit la soupe en purée, la déshydrater en couches minces jusqu'à obtenir un cuir. Ensacher dans du papier brun de préférence. Prévoir de l'estragon séché.

AU CAMP

• Réhydrater par étapes jusqu'à l'obtention de 1,5 litre de soupe. Laisser réchauffer à feu doux en remuant de temps en temps.

• Servir en ajoutant, si possible, une cuillerée de crème sure ou de yogourt dans chaque bol, et garnir de quelques feuilles d'estragon séché.

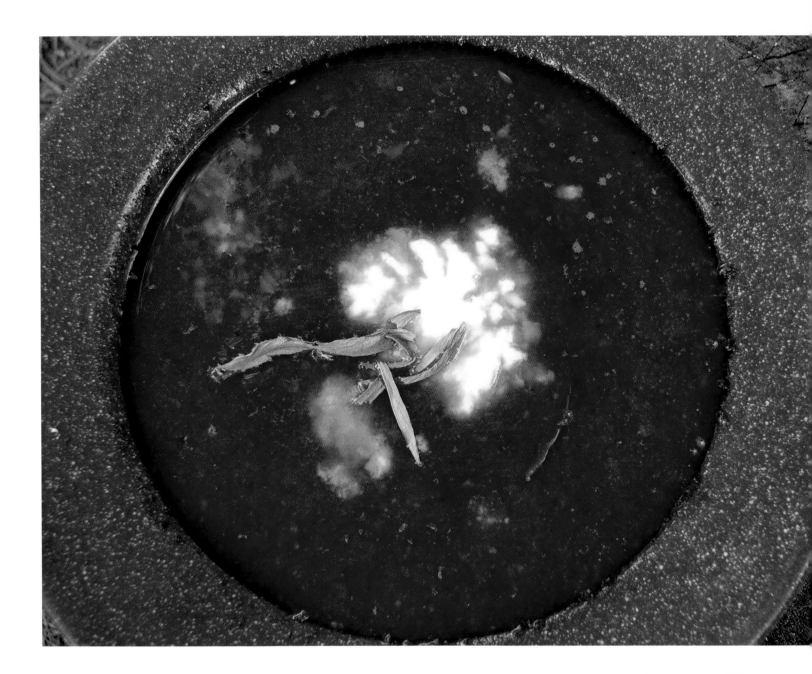

Soupe aux coques

4 portions

Appelée aussi chaudrée de palourdes, cette soupe serait entrée dans la tradition gaspésienne par les loyalistes en fuite de la Nouvelle-Angleterre, qui eux-mêmes en auraient hérité des Normands. Et cette soupe a toujours de l'avenir ! En plein air, on la prépare en un tournemain avec une boîte de mollusques et quelques légumes frais ou séchés. Une tranche de bon pain ajoute à la consistance de ce potage.

5 tranches de lard salé (sans viande)
1 oignon moyen haché finement
1 branche de céleri coupée en petits dés
1 grosse pomme de terre coupée en petits cubes
1 boîte de petites palourdes [142 g ou 5 oz] ou 1 boîte de mactres de Stimpson*
125 ml [½ tasse] de crème 10 % ou lait
sel et poivre du moulin au goût

✻ Rien n'empêche évidemment de préparer cette soupe avec des palourdes fraîches.

AU CAMP

• Couper le lard en petits cubes. Déposer dans une casserole et couvrir d'eau. Amener à ébullition et laisser mijoter 1 à 2 minutes afin d'enlever une partie du sel. Enlever l'eau.

• Remettre sur le feu à feu doux et rôtir en remuant de temps en temps pour que les lardons deviennent croustillants. Au besoin, enlever le surplus de gras liquide. Ajouter ensuite l'oignon et le céleri et cuire quelques minutes jusqu'à ce que l'oignon soit translucide.

• Ajouter de 2 à 3 tasses d'eau, puis l'eau des palourdes ou des mactres (réserver les mollusques) et les cubes de pomme de terre. Porter à ébullition et laisser mijoter jusqu'à ce que les légumes soient cuits.

• Ajouter la crème (ou le lait) ainsi que les coques. Saler et poivrer au goût. Réchauffer et servir. Délicieux avec pain ou baguette et beurre !

Camping léger

• Prévoir l'oignon, le céleri en petits morceaux et la pomme de terre en cubes déshydratés et réhydratés pour le repas. Pour cette version légère, du lait en poudre remplacera la crème.

Entrées

Rivière Nastapoka, 2008
Photo : Sylvie Michaud

Ceviche à la coriandre

4 portions

Il serait impardonnable d'oublier les quelques ingrédients de base nécessaires à la confection de ceviche lors d'une expédition en rivière alors que les truites sautent sur la mouche au pied de chaque rapide !

> 600 g de pétoncles ou filets de truite ou autre poisson ferme, frais
> 125 ml [½ tasse] de jus de lime
> sel et poivre
> 160 ml [⅔ tasse] d'huile d'olive
> 2 échalotes grises émincées
> 1 gousse d'ail hachée finement
> 30 ml [2 c. à soupe] de coriandre fraîche hachée
> 30 ml [2 c. à soupe] de persil frais haché
> 1 poivron émincé
> 1 tomate en petits dés

À LA MAISON OU AU CAMP

◆ Arroser de jus de lime les pétoncles ou le poisson coupé en fines lanières qu'on aura choisi bien frais (ne pas utiliser de produits décongelés). Saler et poivrer.

◆ Laisser mariner de 20 minutes à une journée maximum en retournant les morceaux après 10 minutes.

◆ Verser l'huile, l'échalote, l'ail, la coriandre et le persil sur le poisson. Garnir avec les poivrons et les morceaux de tomate.

◆ Servir avec un riz au cumin ou des croustilles de maïs.

Camping léger

◆ Au camp, avec une prise du jour.

◆ Prévoir quelques limes, de l'huile, un peu d'ail, de l'échalote grise ou de l'oignon, du gros sel, du poivre en grains, des graines d'aneth ou de fenouil ou du carvi pour préparer un ceviche avec l'une des prises du jour.

◆ Découper le poisson très frais en lanières ou en morceaux. Le déposer dans une gourde (ou un contenant qui ferme bien) avec le jus de lime et laisser mariner 20 minutes environ. Ajouter les autres ingrédients, soit l'échalote ou l'oignon émincé, un peu d'ail, du sel, du poivre, des épices au goût. Garder cette gourde au frais environ une demi-journée. Servir.

Graavlax

4 portions

*Cette magnifique salaison aux allures de poisson cru,
à la scandinave, est appropriée à condition de pouvoir
garder le poisson au frais pendant au moins 2 jours.
C'est pourquoi il est conseillé pour les sorties d'hiver.*

1 kg [2 lb] de saumon rond (entier, un gros tronçon
ou deux filets de taille semblable, la chair épaisse,
sans arêtes, mais avec la peau)

125 ml [½ tasse] de sucre brut ou cassonade

125 ml [½ tasse] de gros sel de mer de qualité

1 botte d'aneth frais

30 ml [2 c. à soupe] de poivre blanc entier

À LA MAISON

◆ Si ce n'est déjà fait, fileter le saumon en prenant soin
d'enlever toutes les arêtes, mais en laissant la peau.

◆ Mélanger le sucre brut et le sel de mer. Laver et éponger
l'aneth. Moudre le poivre blanc.

◆ Saupoudrer également la moitié du mélange sucre-sel
sur les faces chair des deux filets. Saupoudrer ensuite de
poivre ces deux faces. Déposer le tiers de l'aneth sur l'une
des surfaces, côté chair. Bien refermer le poisson, chair
contre chair avec sa garniture.

◆ Saupoudrer le dessus de ce « sandwich » de la moitié
du mélange sucre-sel restant, et déposer un peu d'aneth.
Retourner le poisson et procéder de la même façon sur
l'autre surface de peau.

◆ Ensuite, la meilleure façon de transporter ce « sandwich » est de le mettre sous vide. Le déposer au frigo
avant le départ et ne pas hésiter à le transporter tel quel
dans les bagages tard en automne ou en hiver. Dans le
sac, sous vide, l'action du sel et du sucre sur le poisson
produira de l'eau dans laquelle il baignera comme dans
une marinade. Autrement, déposer le poisson dans un
contenant au frigo en mettant du poids dessus : il faudra
alors faire attention de tourner le poisson plusieurs fois
durant sa cure pour s'assurer qu'il marine également
dans son ensemble.

* Une fois que le temps aura fait son œuvre, après 3 jours idéalement, sortir le poisson et le laver à l'eau ou bien l'essuyer pour enlever l'excédant de sel. Puis, le détailler en fines lamelles (comme du saumon fumé) avec un couteau long et bien aiguisé, en laissant la peau sur la planche à découper.

* Servir avec des tranches de baguette grillée et, si désiré, la vinaigrette suivante :

Vinaigrette à l'aneth

¼ de la botte d'aneth haché menu

30 ml [2 c. à soupe] de vinaigre de cidre

5 ml [1 c. à thé] de sel

2 ml [½ c. à thé] de poivre

15 ml [1 c. à soupe] de miel

180 ml [¾ tasse] d'huile de tournesol

60 ml [¼ tasse] d'huile de noix

15 ml [1 c. à soupe] de pernod

Sushi et Sashimi

4 portions

250 ml [1 tasse] de riz à sushis
(qui reste légèrement collant une fois cuit)

4 feuilles d'algue

avocat, concombre ou poivron (facultatif)

pâte wasabi (ou raifort japonais)

sauce soya ou tamarin

gingembre mariné du commerce

truite, saumon ou omble arctique fraîchement pêché

ou

200 g [⅓ à ½ lb] de thon, saumon, chair de crabe
œufs de saumon du commerce très frais

Prévoir un *makisu* (petit tapis de bambou) pour rouler les sushis ou se débrouiller avec les moyens du bord !

AU CAMP

• Cuire le riz préalablement lavé ou trempé dans 250 ml (1 tasse) d'eau. Le laisser refroidir avant de faire les rouleaux.

• Aussitôt pêché, nettoyer et découper le poisson en filets, puis en lanières. Attention ! tous les poissons ne peuvent se manger crus. Si la truite et le saumon ne posent aucun problème, le brochet porteur de parasites est totalement déconseillé.

• Étaler une fine épaisseur de riz sur une feuille d'algue ou ½ feuille (selon la grosseur de rouleau désirée). Le long d'un des bords de la feuille, déposer une ligne de poisson découpé en lanières. Si disponible, ajouter une ligne d'avocat ou de concombre ou de poivron découpés en bâtonnets ou en petits morceaux. Rouler la feuille en un cylindre serré. Avec un couteau bien affilé et mouillé, couper des sections de 2 cm. Servir avec du tamarin ou de la sauce soya, de la pâte wasabi et du gingembre mariné.

• On peut manger les morceaux de poisson en sashimi, soit sans riz ni garniture, en les trempant dans la sauce soya (ou le tamarin) saupoudrée de graines de sésame.

Saganaki

4 portions

Exotique, spectaculaire, quoique rapide à préparer, cette entrée chaude est un bouquet de parfums qui tiennent tête élégamment à ceux de la forêt ambiante.

300 à 400 g de fromage Kasseri ou autre fromage de brebis ferme

1 œuf battu (facultatif)

un peu de farine

60 ml [¼ tasse] d'huile d'olive

45 ml [3 c. à soupe] d'ouzo ou 30 ml [2 c. à soupe] de pernod pour flamber

1 citron

5 ml [1 c. à thé] d'origan

AU CAMP

◆ Couper le fromage en tranches de 1 cm d'épaisseur. Les passer dans l'œuf battu (si disponible) et la farine. Enlever le surplus de farine, s'il y a lieu. Chauffer l'huile dans une poêle. Lorsque l'huile est chaude, y faire dorer le fromage (environ 2 à 3 minutes par côté).

◆ Poursuivre la cuisson à feu plus doux 2 à 3 minutes. Retirer la poêle du feu pour y verser l'alcool. Flamber et éteindre avec du jus de citron.

◆ Garnir d'origan et servir.

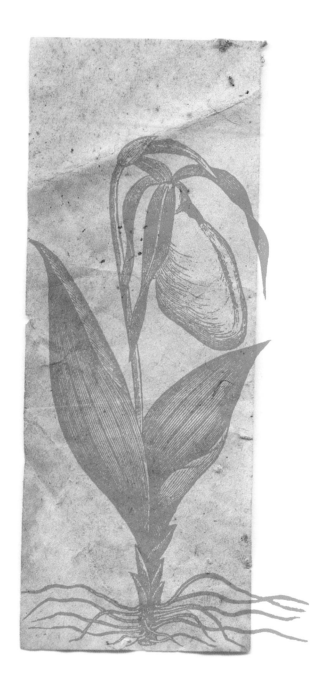

Pêches du jour et cueillettes

Rivière Mistassibi Nord-Est
Photo: Lyne Bujold

Soupe de poisson

4 portions

Voilà une bonne façon de cuisiner à l'improviste une portion d'un gros brochet pêché dans la journée. Les ingrédients qui composent cette soupe peuvent tous être secs et ne prendre qu'une place infime dans la trousse des bases à emporter lors d'une expédition sur l'eau ou à proximité.

1 prise du jour
30 ml [2 c. à soupe] de beurre, huile ou ghee
1 oignon
1 gousse d'ail
1 carotte en dés ou en fines rondelles [si disponible]
1 l [4 tasses] d'eau
1 pomme de terre fraîche ou en flocons [40 g]
5 ml [1 c. à thé] de graines de fenouil
gros sel
poivre
5 ml [1 c. à thé] de livèche ou persil séché

AU CAMP

♦ Découper le brochet en filets et prendre soin d'enlever le plus d'arêtes possible, y compris celles plantées transversalement.

♦ Réhydrater l'oignon ou la carotte, s'il y a lieu.

♦ Dans une casserole, faire chauffer l'huile ou le beurre et y colorer l'oignon et l'ail en remuant fréquemment. Ajouter la carotte, puis l'eau et la pomme de terre fraîche découpée en petits dés ou les flocons de pomme de terre, le poisson, le fenouil, le gros sel, le poivre et la livèche ou le persil séché. Porter à ébullition, écumer au besoin, puis baisser le feu et couvrir 20 minutes, le temps que se marient bien tous les ingrédients.

♦ Défaire le poisson en morceaux et servir.

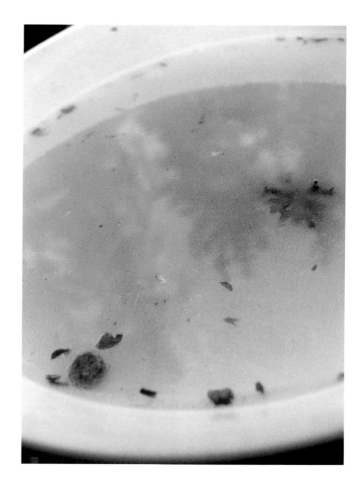

Crème de bolets

4 portions

Le bolet est sans doute le champignon qui se prête le mieux à la confection des soupes. Fondant sous la dent, il donne tout son arôme à l'ensemble.

1 l [4 tasses] de bolets nettoyés, tranchés
60 ml [¼ tasse] de beurre ou ghee
250 ml [1 tasse] de vin blanc
ou 125 ml [½ tasse] de porto ou cognac
500 ml [2 tasses] d'eau
250 ml [1 tasse] de crème
sel et poivre

AU CAMP

• Bien nettoyer les champignons en grattant le pied et les surfaces souillées. Ne pas laver les champignons! Les essuyer plutôt avec un papier absorbant.

• Faire fondre le beurre dans une casserole. Ajouter les bolets et les faire suer jusqu'à ce qu'ils soient bien tendres.

• Mouiller de vin blanc, ou d'un alcool parfumé dont on dispose. Ajouter l'eau. Porter à ébullition. Mettre aussitôt sur feu doux. Cuire 5 minutes. Ajouter de la crème. Saler et poivrer au goût. Laisser doucement réchauffer. Servir.

Poisson fumé au thé

4 portions en entrée

Originaire du sud de la Chine, cette recette facile s'improvise bien en cours de voyage, au hasard des prises.

60 ml [¼ tasse] de thé noir chinois

45 ml [3 c. à soupe] de cassonade

4 gousses d'ail, coupées en deux

4 cm [1 po] de morceau de gingembre frais

zeste d'une orange

4 capsules de cardamome

2 filets de poisson [nature ou mariné] d'environ 225 g [½ lb] chacun

Prévoir du papier d'aluminium et une petite grille ou une étuveuse en bambou à insérer dans un chaudron.

AU CAMP

• Chemiser le fond d'une casserole de papier d'aluminium.

• Placer trois cailloux de taille égale dans la casserole. Mélanger les six premiers ingrédients et les déposer aussi dans la casserole. Déposer ensuite le poisson sur une grille ou sur une étuveuse en bambou au-dessus du mélange (entre 5 et 10 cm) en l'appuyant sur les cailloux. Couvrir et fumer le poisson à feu moyen pendant 15 à 30 minutes, ou jusqu'à ce qu'il soit coloré. Servir froid ou tiède.

• Le poisson se mange comme n'importe quel poisson fumé (en salade, sur bagel…).

Poisson fumé au bran de scie d'érable

4 portions

900 g [près de 2 lb] de filets de poisson
fraîchement pêché (truite mouchetée,
arc-en-ciel ou grise)

sel

sucre

papier aluminium

125 g [½ tasse] de bran de scie d'érable
(préparée à la maison) ou d'autres essences sur place

Prévoir une petite grille ou une étuveuse en bambou à insérer dans un chaudron.

AU CAMP

◆ Découper le poisson en filets. Le faire mariner dans un mélange moitié sucre et moitié sel durant une nuit si possible, sinon le temps dont on dispose.

◆ Chemiser le fond d'une casserole de papier d'aluminium. Y déposer le bran de scie et trois cailloux de taille égale, sur lesquels on déposera une grille. Placer les filets sur cette grille. Couvrir et fumer le poisson de 12 à 15 minutes à feu moyen. Servir tiède ou froid.

«On trouvait facilement des poissons au printemps. La glace sur le lac ne causait plus de problème. La truite grise est grasse et bonne à manger. Il faut en prendre pour rester en forme.»

Chroniques de chasse d'un Montagnais de Mingan, Mathieu Mestokosho ; propos recueillis par Serge Bouchard en 1977.

Filets de poisson amandine

Cette préparation plutôt simple et rapide convient bien aux poissons à chair blanche. Elle rehausse leur goût subtil d'amande sans pour autant l'imposer.

Prises du jour (achigan, doré, corégone, brochet, touladi)
60 ml [¼ tasse] de farine
15 ml [1 c. à soupe] de beurre ou ghee
1 échalote grise
gros sel de mer
poivre
60 ml [¼ tasse] d'amandes émincées, cajous ou autres noix hachés
45 ml [3 c. à soupe] de vin blanc (facultatif)

AU CAMP

◆ Découper le ou les poissons en beaux filets en prenant soin d'éliminer le plus d'arêtes possible. Rincer les filets, égoutter. Au besoin, éponger les filets avant de les fariner des deux côtés.

◆ Dans une poêle, faire fondre le beurre ou le ghee. Quand il frémit, déposer les filets, puis l'échalote émincée. Sans tarder, assaisonner d'un peu de gros sel et de poivre. Saupoudrer de la moitié des amandes ou autres noix disponibles.

◆ Tourner les filets dès qu'ils sont colorés au-dessous. Assaisonner à nouveau légèrement et verser en pluie le reste des noix sur les filets. Si désiré, arroser d'un peu de vin blanc en fin de cuisson. Les filets sont prêts dès qu'ils cèdent sous les dents d'une fourchette.

Photo : Sylvie Michaud

Truite grise de 12 lbs, Rivière Arnaud, 2003

BROCHETS EN CONSERVE

«La mise en conserves en forêt, en pleine nature, dans un décor odorant de sapinages et d'eau à perte de vue, est une occupation qui ne manque pas d'attraits. Elle offre une diversion, au moment où nous sommes fatigués de hâler du poisson à tour de bras, et houillés d'en manger. Si elle représente du travail, elle repose et nous change du reste, après une dizaine de jours de pérégrinations, par monts et par vaux. Nous commençons par mettre le brochet en filets, opération facile, à la condition de s'y connaître. On apprête ainsi n'importe quel poisson en cinq minutes ou moins, eût-il une verge de longueur. On lève les filets de chaque côté du corps, sans couper la tête, les nageoires ou la queue de l'animal, sans le vider de ses viscères, sans le gratter. Les filets obtenus, on les pose à plat sur une planche, un billot, une souche, puis on les sépare de peau et d'écailles, d'un coup de couteau. Dûment lavée, la chair fraîche, épaisse parfois de trois doigts, est emboîtée avec un morceau de lard ou de bacon, qui l'engraissera un peu, et une pincée de sel. On fait bouillir pendant quatre heures, à cause de l'altitude. Il importe de chauffer son eau au point d'ébullition, avant d'y plonger les boîtes remplies.

Quels résultats espérer? Un plat de roi, ou peu s'en faut. Notons que le sel, une fois fondu, forme avec les sucs du poisson une honnête saumure, qui attendrit et peu à peu dissout les quelques arrêtes restées dans la chair. Par suite de quatre heures de cuisson, celle-ci s'est comme allégée, offrant une texture qui ressemble à celle du filet de sole. On met à frire, avec ou sans chapelure, et neuf fois sur dix vos hôtes ne sauront deviner ce qu'ils savourent. Que les sceptiques fassent l'expérience et nous en donnent des nouvelles.»

Harry Bernard, *Portages et routes d'eau en Haute-Mauricie*, Éditions du Bien Public, Les Trois-Rivières, 1953.

Salade de brochet

Si un gros brochet mord à l'hameçon et qu'on ne peut le manger le jour même, on le fera cuire au court bouillon pour le servir froid en salade le lendemain midi.

brochet entier ou en filets
thym, feuille de laurier, graines d'anis
oignon
câpres
mayonnaise ou huile d'olive
sel et poivre

AU CAMP

◆ Dans une casserole, faire cuire le poisson dans de l'eau assaisonnée avec un bouquet d'herbes et un oignon coupé en morceaux. Qu'il soit entier ou en filets, laisser la tête du poisson dans le bouillon pour donner du goût. Retirer du feu dès que le poisson est tendre et le réserver pour qu'il refroidisse. Si c'est possible, conserver le bouillon pour en faire un fond de soupe pour une prochaine prise !

◆ Dépecer le poisson si ce n'est fait et retirer soigneusement les arêtes avant de l'émincer dans un grand bol.

◆ L'assaisonnement de la salade se fait avec les câpres, l'huile ou la mayonnaise au choix, du sel et du poivre.

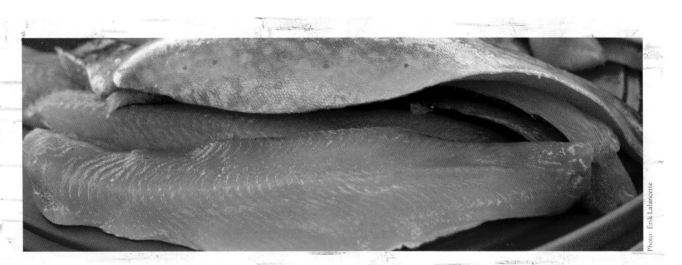

Photo : Erik Lalancette

TRUITE MOUCHETÉE ET AUTRES POISSONS SUR ROCHES CHAUDES

« Arnatuinnaq cherche une pierre plate. Quand elle en a trouvé une, elle la saisit mais elle la trouve lourde à porter. Maatiusi l'aide. (...) Et il la porte jusqu'au foyer. Arnatuinnaq construit un grand foyer à côté de l'endroit où elle a préparé le thé. Elle enflamme ensuite le combustible sous la pierre plate dont le dessus devient tout brûlant. Elle y met alors de la graisse qui crépite et dégage de la vapeur, puis elle y pose un des poissons qu'elle a coupé en tranches. En très peu de temps, les tranches de poissons sont cuites sur la pierre plate. »

Par Mitiarjuk Nappaaluk, tiré de son roman *Sanaaq*, écrit dans les années 1950.

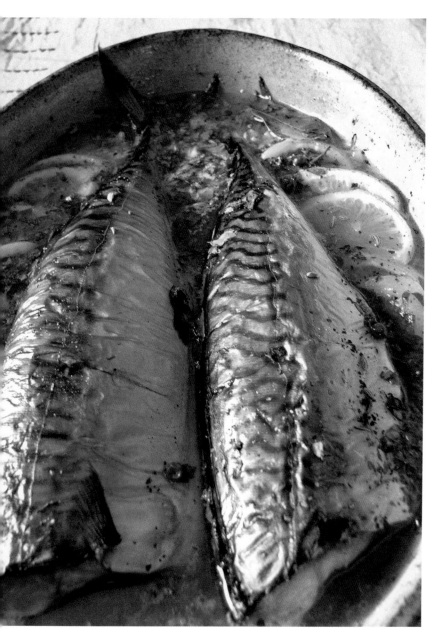

Maquereaux au vin blanc

Lorsque les bancs de maquereaux s'approchent des côtes gaspésiennes vers le mois d'août et que les pêcheurs s'alignent le long des quais, c'est le moment de tenter sa chance et d'en profiter pour discuter avec les gens du coin. Les prises, apprêtées au vin blanc, se conservent très bien et se dégustent froides avec une biscotte ou une bonne tranche de pain du pays.

6 maquereaux moyens

1 oignon

2 échalotes grises

3 carottes

1 citron

1 pincée de poivre moulu

250 ml [2 tasses] de vin blanc sec

45 ml [3 c. à soupe] d'huile d'olive

2 clous de girofle

1 bouquet garni [thym, laurier, persil]

5 ml [1 c. à thé] de vinaigre

1 l [4 tasses] de bouillon de légumes (un cube délayé à froid)

sel

À LA MAISON OU AU CAMP

◆ Vider, rincer et éponger les maquereaux. Couper ou non les têtes, au goût.

◆ Émincer l'oignon, les échalotes, les carottes et couper le citron en demi-tranches. Dans un plat à cuire ou une casserole préalablement huilée, déposer ces ingrédients et y coucher les maquereaux. Poivrer, ajouter le vin blanc, l'huile, les clous de girofle, le bouquet garni et le vinaigre. Délayer à froid le bouillon dans l'eau et verser sur les maquereaux. Ajouter un peu de sel au besoin, sans abuser toutefois. Porter doucement à ébullition et laisser frémir durant 5 minutes, au four ou sur le feu.

• Laisser ensuite refroidir et mariner au frais pendant 24 heures au moins avant de servir. On peut manger les maquereaux au vin blanc en lunch ou en entrée avec du bon pain ou des biscottes, ou encore avec une salade d'arroche fraîchement cueillie sur la plage, assaisonnée d'un filet d'huile et de quelques gouttes de jus de citron.

Photo: Pierre LaRue et Josée Paquette

Moules marinières

4 portions

À la pêche aux moules, je veux aller maman! Cette pêche devenue exceptionnelle pour cause de pollution est encore possible dans bien des recoins de la Basse-Côte-Nord. Quelle fête!

4 l [16 tasses] de moules
2 oignons coupés en rondelles*
1 branche de céleri émincée grossièrement*
1 gousse d'ail émincée
1 pincée de poivre moulu
125 ml [1 tasse] de vin blanc sec ou eau
1 bouquet de persil émincé grossièrement*

✤ On peut avoir prévu ces ingrédients déshydratés.

AU CAMP

◆ Laver consciencieusement les moules en ne gardant que celles qui se ferment au contact des mains ou de l'eau. Déposer tous les ingrédients dans un grand chaudron et, sans tarder, cuire à feu vif en retournant le contenu une ou deux fois jusqu'à ce que les moules ouvrent bien leurs coquilles.

◆ Servir dans des bols pour ne rien perdre du jus des moules. Ce mets succulent et rapide à préparer s'accompagne agréablement de pommes de terre frites ou sautées à la poêle ou d'une salade mixte.

Purée d'oseille

Cette plante acidulée, commune dans les champs et dans les jardins, s'intègre bien aux salades, se cuisine en soupe avec des lardons et du lait ou en purée. Celle-ci relève avantageusement le goût d'un plat de poisson accompagné de pommes de terre.

1 gros bouquet d'oseille
15 ml [1 c. à soupe] de farine
15 ml [1 c. à soupe] de beurre
1 échalote grise émincée (facultatif)
sel et poivre
1 ou 2 œufs (facultatif)

AU CAMP

♦ Laver l'oseille et l'essorer dans un linge à vaisselle.

♦ Dans une poêle, déposer la farine et le beurre. Faire fondre le beurre et le mélanger à la farine pour faire un roux. Ajouter l'oseille, mélanger au roux et laisser fondre en purée. Si désiré, ajouter l'échalote émincée en même temps que l'oseille. Au besoin, mouiller d'un peu d'eau. Saler et poivrer modérément. Après 4 ou 5 minutes de cuisson, on peut casser un ou deux œufs dans cette purée pour la rendre onctueuse.

♦ Servir aussitôt une petite portion de cette purée en accompagnement de poisson ou de pommes de terre cuite à l'eau.

Épis de quenouilles, têtes de violon ou fruits d'asclépiade aux noisettes

cueillette du jour
noix de beurre
quelques noisettes [ou amandes émondées]
sel et poivre

AU CAMP

♦ Blanchir les épis mâles des quenouilles ou les petits fruits tendres de l'asclépiade ou encore les jeunes pousses de fougères de l'autruche durant 3 minutes environ. Jeter l'eau.

♦ Faire fondre le beurre dans une poêle et y ajouter les jeunes pousses ou fruits, bien égouttés. Ajouter les noisettes ou les amandes, le sel et le poivre. Les faire sauter quelques minutes en remuant de temps en temps. Servir immédiatement.

Risotto aux champignons sauvages

4 portions

cueillette de champignons ou 28 g [3 tasses] environ de champignons séchés

30 ml [2 c. à soupe] d'huile d'olive

2 oignons hachés

500 g [2 tasses] de riz arborio

1,5 l [6 tasses] de bouillon ou eau (3 cubes de bouillon de volaille)

100 g de prosciutto haché

125 ml [½ tasse] de parmesan frais râpé

sel et poivre

60 ml [¼ tasse] de persil frais et haché [ou séché]

AU CAMP

◆ Laisser tremper les champignons dans 375 ml (1 ½ tasse) d'eau chaude à couvert s'il s'agit de champignons séchés, ou faire revenir les champignons frais et nettoyés. Réserver.

◆ Faire revenir les oignons dans l'huile jusqu'à ce qu'ils soient translucides. Ajouter le riz pour que les grains soient enrobés d'huile. Ajouter le bouillon. Cuire à feu moyen et à découvert 15 minutes.

◆ Ajouter l'eau de trempage et les champignons. Remuer de temps en temps pour empêcher que le riz colle.

◆ Lorsque le riz est cuit, retirer la casserole du feu et ajouter les autres ingrédients. Bien mélanger et servir aussitôt.

Camping léger

À LA MAISON

Remplacer les ingrédients ci-haut par : 200 ml [¾ tasse] de flocons d'oignons frits, 500 g [2 tasses] de riz arborio, 60 ml [¼ tasse] de concentré de bouillon ou 3 cubes effrités, 28 g [3 tasses] de champignons séchés, 30 ml [2 c. à soupe] de persil séché. Ensacher le tout dans un sac de plastique. Prévoir le parmesan et le prosciutto à part.

AU CAMP

◆ Verser dans 2 l d'eau [8 tasses], cuire à découvert jusqu'à absorption du liquide. Surveiller la cuisson, remuer de temps en temps, ajouter de l'eau au besoin.

◆ Ajouter le parmesan et le prosciutto, bien mélanger et servir aussitôt.

Chanterelles poêlées au beurre

cueillette de chanterelles bien nettoyées
beurre
sel et poivre

AU CAMP

◆ Nettoyer les champignons en grattant le pied avec un couteau et en ôtant le maximum de terre ou autres résidus sur le chapeau ou les lamelles. Ne pas laver les champignons ! Les réserver.

◆ Dans une poêle, faire fondre le beurre. Ajouter les chanterelles entières et les cuire à feu doux jusqu'à ce qu'elles fondent un peu. Saler et poivrer en fin de cuisson. Servir.

Fleuve Saint-Laurent, vers Kamouraska, 2007

En accompagnement

Mont Olivine, Chic Chocs, 2006

Photo: Dominick Lauzon

Riz sauvage au maïs

4 portions (en accompagnement)

250 g [1 tasse] de riz sauvage

250 ml [1 tasse] de maïs en grains cuit*

15 ml [1 c. à soupe] de beurre ou huile

2 échalotes grises

250 ml [1 tasse] de vin blanc

sel et poivre

champignons sauvages (facultatif)

persil, si possible

* Pour réduire le poids, prévoir des grains de maïs déshydratés.

AU CAMP

◆ Bien rincer le riz sauvage et le cuire dans 4 fois son volume d'eau. Compter 1 heure. Rincer du maïs en grains en boîte ou encore réhydrater le maïs.

◆ Dans une grande poêle, faire fondre le beurre et y faire revenir l'échalote émincée. Ajouter le riz et les grains de maïs cuits en remuant pour laisser échapper l'excédent d'eau en vapeur.

◆ Mouiller de vin blanc, saler, poivrer et laisser réduire.

◆ Si la cueillette le permet, incorporer en dernière minute des chanterelles poêlées au beurre (voir p. 139).

◆ Garnir d'un peu de persil ou de quelques feuilles d'aromates émincées, si disponibles. Servir.

« Nous cabanâmes (au Lac des Malominis) sur une pointe de terre. Dès le point du jour nous nous mîmes en Canot pour aller à leur Village, où nous ne restâmes une heure pour parler à quelques Sauvages à qui je fis présent de deux brasses de tabac, qui par reconnoissance nous donnerent deux ou trois sacs de farine de fole Avoine. Ce Lac est couvert de cette sorte de Grain qui y croît en touffes, & dont la tige est haute. Ces Sauvages en font des moissons abondantes. »

Tiré des *Œuvres complètes* de Lahontan, parues la 1re fois en 1703.

Purée de courges

6 portions en accompagnement

1,8 kg [4 lb] de courges entières (buttercup de préférence)
15 ml [1 c. à soupe] de beurre
sel et poivre
5 ml [1 c. à thé] de muscade râpée ou sauge

AU CAMP

◆ Cuire les courges entières dans la braise, couvertes de papier d'aluminium ou directement dans la cendre. Surveiller fréquemment la cuisson en piquant avec une fourchette. Lorsqu'elles sont tendres, les retirer du feu et les découvrir pour qu'elles refroidissent. Puis, les ouvrir en deux, enlever les graines et les filaments du centre.

Ajouter du beurre, du sel et du poivre et une pincée de muscade ou un peu de sauge (au goût). Libérer la purée de la peau à la cuillère. Servir.

Camping léger

À LA MAISON

◆ Procéder comme précédemment, au four à 205 °C [400 °F] sans papier d'aluminium, jusqu'à ce que les courges soient cuites. Extraire la purée des courges.

◆ Déshydrater la purée en fines couches jusqu'à l'obtention d'un cuir.

AU CAMP

◆ Réhydrater en ajoutant de l'eau chaude à petites doses jusqu'à l'obtention d'une consistance de purée.

◆ Réchauffer dans un chaudron avec une noix de beurre, du sel, du poivre et de la muscade ou de la sauge.

«Les Citroüilles de ce Païs-ci (...) sont de la grosseur de nos Melons; la chair en est jaune comme du Saffran: On les fait cuire ordinairement dans le four, mais elles sont meilleures sous les cendres, à la maniére des Sauvages; elles ont presque le même goût que la marmelade de Pommes; mais elles sont plus douces. On peut en manger tant que l'appétit le peut permettre, sans craindre d'en être incommodé.»

Tiré des *Œuvres complètes* de Lahontan, parues la 1re fois en 1703.

Aubergines au parmesan

8 portions

Bien que ce plat soit succulent avec des aubergines fraîches, il est ici présenté dans sa version légère uniquement. On évite ainsi le périlleux transport des aubergines, sans perdre en saveur. Ce plat se sert en plat principal à condition qu'il soit accompagné de polenta. Pour un repas encore plus complet, on peut y ajouter de l'agneau haché déshydraté ou le servir avec des saucisses grillées.

8 aubergines moyennes [300 g chacune]

Sauce tomate

2 oignons

3 gousses d'ail

45 ml [3 c. à soupe] d'huile d'olive

2 boîtes de tomates (de 28 oz ou 796 g)

30 ml [2 c. à soupe] de concentré de tomate
herbes de Provence

15 ml [1 c. à soupe] de vinaigre balsamique
sel et poivre

30 ml [2 c. à soupe] de câpres au sel

4 tomates séchées

45 ml [3 c. à soupe] de fromage parmesan

Camping léger

À LA MAISON

♦ Trancher les aubergines en rondelles et les déshydrater jusqu'à ce qu'elles prennent une texture de cuir.

♦ Dans un poêlon, faire revenir les oignons et l'ail dans l'huile. Ajouter les tomates en boîtes, le concentré de tomate, les herbes de Provence et le vinaigre balsamique. Saler et poivrer. Cuire environ 20 minutes. Laisser refroidir et déshydrater jusqu'à consistance de cuir.

AU CAMP

♦ Réhydrater les aubergines. De même, réhydrater la sauce en y ajoutant de l'eau chaude une petite quantité à la fois. Ajouter les câpres et les tomates séchées en lanières. Disposer les aubergines et la sauce en alternant les couches dans une casserole. Ajouter le parmesan. Couvrir et cuire à feu doux pendant 45 minutes.

Variante avec agneau haché

À LA MAISON

♦ Faire bien cuire l'agneau sans ajout de gras, assaisonner. Déshydrater.

AU CAMP

♦ Réhydrater la viande avec de l'eau chaude, une petite quantité à la fois. Ajouter à la sauce.

♦ Servir avec de la polenta.

Tian
de légumes

8 portions

Le tian de légumes accompagne bien le poisson. Mais si la pêche n'est pas bonne, on augmentera les quantités de riz ou de polenta servies avec le tian.

2 gousses d'ail

15 ml [1 c. à soupe] de thym

3 oignons frais ou 250 ml [1 tasse] d'oignons déshydratés

125 ml [½ tasse] d'huile d'olive

6 aubergines [de 300 g chacune] coupées en rondelles

6 courgettes [de 125 g chacune] coupées en rondelles

300 g de tomates séchées

sel

AU CAMP

◆ Frotter le fond d'une casserole avec l'ail. Ajouter du thym. Déposer les oignons en une couche. Saler et saupoudrer d'encore un peu de thym. Arroser d'huile.

◆ Remplir la casserole en déposant aubergines, courgettes, tomates en couches successives. Saler chaque fois et ajouter du thym.

◆ Couvrir le plat et faire cuire à feu doux au moins 1 heure. Servir avec du riz ou de la polenta.

Camping léger

À LA MAISON

◆ Couper les aubergines, les courgettes et les oignons en rondelles. Déshydrater.

◆ Les tomates séchées se trouvent facilement sur le marché. Si possible, on privilégiera les tomates fraîches ou en boîte ou encore dans un contenant de carton ou tétra qui contribueront à la réhydratation complète des légumes au moment de la cuisson.

AU CAMP

◆ Prévoir 20 minutes de réhydratation pour les oignons et 45 minutes pour les aubergines et courgettes. Suivre ensuite les étapes décrites plus haut à une nuance près : si l'on cuisine le tian avec des tomates séchées, on les déposera au fond pour qu'elles se réhydratent bien durant la cuisson.

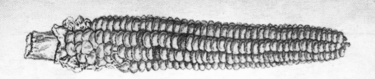

«Une partie des habitants du Canada doivent se rendre assez loin pour se procurer et pour acheter les fourrures ; ils doivent aller les chercher auprès de ces Sauvages d'Amérique qui résident au loin. On ne peut pas toujours emporter avec soi la quantité de nourriture exigée par une aussi longue randonnée, car on est obligé, en de nombreux endroits, de faire le portage des bateaux et des marchandises à vendre. On a donc découvert un type de nourriture qui, sous un petit volume, soutient suffisamment. (...) Au Canada, on utilise du maïs que l'on fait griller dans du sable brûlant, sous la cendre, ou encore dans un four où l'on vient de cuire du pain ; une fois grillé, on prend ce maïs pour le réduire en morceaux avec un pilon dans un mortier de bois, jusqu'à ce qu'il ressemble à de la grosse semoule. On retire cela du mortier pour vanner et chasser la pellicule extérieure qui entoure le grain de maïs ; on met de côté le plus fin de cette semoule, qu'on mélange à du sucre selon la proportion voulue ; certains préfèrent cela plus sucré, d'autres moins ; on mélange intimement sucre et semoule de maïs, et on serre ce mélange dans un sac ou dans un vase. Lorsqu'on a faim durant le voyage, on prend une demi-poignée de ce mélange farineux, on le met dans un peu d'eau et on est rassasié avec une petite quantité de cette sorte de potage. (...)

Plusieurs Français m'ont dit que si le roi Charles XII avait connu un moyen aussi simple d'emporter avec soi en voyage une si petite quantité de nourriture, il aurait pu se rendre maître du monde entier.»

Tiré du journal de route du botaniste suédois Pehr Kalm, au Canada, en 1749.

Polenta

4 portions en accompagnement

1 l [4 tasses] d'eau ou bouillon de poulet
ou moitié eau moitié lait
sel
250 g [1 tasse] de semoule de maïs

AU CAMP

◆ Mettre l'eau dans une casserole. Porter à ébullition et ajouter le sel.

◆ Verser la semoule en pluie dans l'eau bouillante en remuant continuellement. Lorsque la semoule commence à gonfler, baisser le feu et laisser cuire encore 1 à 2 minutes jusqu'à ce que le mélange soit bien consistant. Attention ! la polenta chaude a tendance à éclabousser. Si nécessaire, ajouter encore un peu d'eau. Servir immédiatement.

Variantes

Polenta grillée

une préparation de base de polenta
25 g [2 c. à soupe] de beurre
sel
huile d'olive

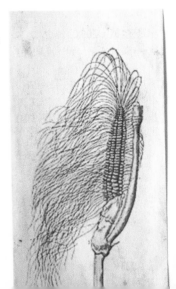

• Procéder comme précédemment.

• Enlever la polenta du feu, ajouter le beurre et mélanger. Verser la polenta sur un plat graissé. Répandre pour former une galette d'environ 2 cm d'épaisseur. Laisser la polenta refroidir complètement. Couper en morceaux et arroser d'huile d'olive. Cuire à la poêle ou directement sur la grille durant 8 minutes.

Polenta garnie

• Si désiré, on peut ajouter à la polenta chaude, en même temps que le beurre, 50 g (½ tasse) de parmesan râpé, 8 tomates séchées coupées en morceaux, un peu de muscade râpée et une bonne dose de poivre du moulin.

Pain « nan-banique »

6 portions

À LA MAISON

◆ Mélanger tous les ingrédients secs.

AU CAMP

◆ Incorporer la moitié de l'huile au mélange sec de farine. Creuser une fontaine et y verser l'eau. Pétrir. Façonner en petits pains plats. Laisser reposer 15 minutes.

◆ Faire chauffer l'huile à feu modéré dans un poêlon. Y déposer la pâte et la laisser cuire à feu très doux des deux côtés jusqu'à ce que la croûte soit bien dorée. On peut cuire directement les pains sur la fonte d'un petit poêle à bois.

Ces petits pains accompagneront agréablement le poulet au beurre ou le « trio indien ».

750 g [3 tasses] de farine
80 ml [⅓ tasse] de lait en poudre
80 ml [⅓ tasse] de sucre
45 ml [3 c. à soupe] de levure chimique (poudre à pâte)
3 ml [½ c. à thé] de sel
80 ml [⅓ tasse] d'huile
160 ml [⅔ tasse] d'eau

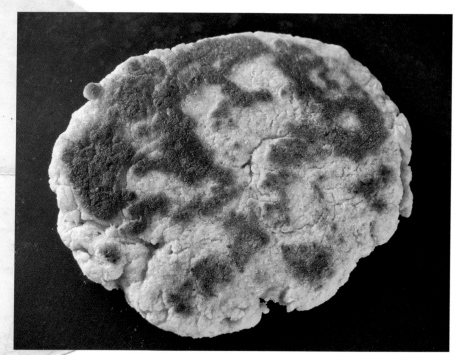

Plats principaux

Iles-de-la-Madeleine, 2008

Photo : Martine Filion

Photo : Sylvie Michaud

Raclette

Ce mets suisse doit son nom au fait que le fromage est gratté ou raclé à même le bloc ou la tome. Tentant en refuge au cœur de l'hiver, n'est-ce pas ?

Par personne :
200 g [½ lb] de petites pommes de terre bien fermes
200 à 250 g [½ lb] de fromage suisse Raclette
poivre noir moulu

cornichons
petits oignons conservés dans la saumure
sélection de charcuteries (prosciutto, jambon de Parme, grison, etc.)

AU CAMP

• Cuire les pommes de terre dans de l'eau salée, jusqu'à ce qu'elles soient tendres.

• Placer une grande roche plate devant la braise ardente du feu et la laisser réchauffer. Racler la croûte du fromage et en déposer les morceaux sur la roche bien exposée à la chaleur. Dès que le fromage fond, le racler à nouveau pour le servir immédiatement au fur et à mesure sur les pommes de terre. Saupoudrer de poivre noir moulu. Servir avec des cornichons, des oignons et des charcuteries.

SUR LA GRILLE

Gigot d'agneau

8 à 10 portions

Cette pièce de viande un peu spectaculaire ne devrait pas intimider le cuisinier. Après tout, elle est simple à préparer et requiert relativement peu de cuisson. Le plus délicat consiste à bien la découper et à la servir chaude.

3 kg [6 lb] de gigot avec l'os
5 gousses d'ail
80 ml [⅓ tasse] de moutarde
(Dijon ou autre moutarde forte)
80 ml [⅓ tasse] d'huile d'olive
gros sel de mer
poivre moulu
romarin frais ou séché

AU CAMP

◆ Piquer d'ail le gigot sous toutes ses coutures. Le badigeonner de moutarde, puis d'un peu d'huile. Saupoudrer toute la pièce d'agneau de gros sel et de poivre.

◆ Déposer directement le gigot sur la grille assez surélevée au-dessus d'une bonne braise. Garnir le dessus d'un peu de romarin. Réserver une partie du romarin pour en parfumer la viande en fin de cuisson. Laisser rôtir environ 45 minutes par côté. Après l'avoir retournée, saupoudrer à nouveau de romarin.

◆ Il est inutile de retourner le gigot à maintes reprises. Étant sur une grille au-dessus des braises qu'il attise en rendant du gras, il risque de carboniser, mais en surface seulement. Mieux! Cette croûte permettra de cuire la pièce de viande en la gardant saignante au centre.

◆ Retirer du feu après 1 ½ heure environ ou lorsque piqué jusqu'au centre, du jus sort encore. Découper en biais autour de l'os et servir aussitôt ou déposer les tranches dans un contenant proche de la braise pour garder la viande au chaud. Servir les amateurs de viande cuite en premier. Satisfaire les férus d'agneau saignant par la suite. Remettre ce qu'il reste sur la grille, en attendant qu'on en redemande. Si possible, garder l'os pour en faire un bouillon de soupe le lendemain.

◆ Servir avec des pommes de terre dans la braise ou des flageolets.

Churrasco et autres grillades

Pour un groupe

Tout ce qui se cuisine sur le barbecue se cuisine aussi sur la braise, à même la grille. Le churrasco, terme portugais autant qu'espagnol, est en Amérique latine l'art de griller les viandes rouges, le porc et le poulet. Saucisses et abats tels que les rognons et les ris de veau s'intègrent bien à ces grillades du dimanche après-midi en famille. Voici une adaptation à cet art de vivre où l'on propose d'étirer un repas de viandes au rythme de sa cuisson sur le gril et d'y intégrer des pièces de gibier ou tout simplement des steaks.

Compter au moins 125 g [¼ lb] de viande par personne en diversifiant ces viandes parmi :

Orignal, chevreuil ou caribou : filet, steaks (épais), petits rôtis
Bœuf : parties du filet, steaks de flanc ou de côtes
Veau : filet, steak d'aloyau, côtelettes, ris, rognons
Porc : filet, côtelettes, petites côtes (spare ribs)
Poulet : ouvert en deux ou découpé en morceaux
Saucisses

Marinade

Oignon émincé

Ail émincé

Feuilles de laurier

Origan

Vin rouge ou bière

Jus de citron ou tomate

Piment fort au goût

Sel et poivre

AU CAMP

◆ Si possible ou si désiré, faire mariner la viande durant une journée.

◆ Préparer une bonne braise et aménager le feu pour pouvoir entretenir cette braise en alimentant le feu à côté du lieu de cuisson. Faut-il rappeler que le gibier et le bœuf sont meilleurs bien saisis et saignants ? Le porc et surtout le poulet demandent plus de cuisson.

◆ Utiliser une botte de persil pour badigeonner la viande de marinade avant et pendant la cuisson. Découper et servir les pièces de viande à mesure qu'elles sont prêtes. Riz, salades, poivrons coupés en deux et grillés servis avec une goutte de vinaigre balsamique et une feuille de basilic accompagneront bien ces grillades.

Brochettes style satay

4 portions

Ces brochettes sont particulièrement agréables à cuisiner et à déguster en camping. On peut en effet les cuire directement sur des pierres chaudes ou sur la grille.

600 g [1 ⅓ lb] de poitrines ou filets de poulet ou porc ou bœuf

Marinade

30 ml [2 c. à soupe] d'huile végétale

15 ml [1 c. à soupe] de vinaigre de riz

3 gousses d'ail hachées

15 ml [1 c. à soupe] de graines de coriandre broyées

10 ml [2 c. à thé] de graines de cumin broyées

1 échalote grise hachée finement

2 (ou au goût) petits piments hachés finement

sel et poivre

Sauce satay

45 ml [3 c. à soupe] de beurre d'arachide

¼ tige de citronnelle hachée finement

125 ml [½ tasse] lait de coco en boîte ou fait à partir de poudre [30 g de poudre ou ½ sachet pour 125 ml d'eau]

5 ml [1 c. à thé] ou au goût de pâte de curry ou sambal oelek

sel

AU CAMP

◆ Couper la viande en lanières et la déposer provisoirement dans un contenant avec tous les ingrédients de la marinade. Saler et poivrer. Laisser mariner de 2 à 24 heures.

◆ Combiner tous les ingrédients de la sauce dans une petite casserole. Les cuire jusqu'à ce que le beurre d'arachide soit fondu.

◆ Embrocher les morceaux de viande en vagues sur des bâtons, brochettes de bambou ou autre (préalablement trempés dans l'eau pour éviter qu'ils calcinent à la cuisson). Cuire directement sur la grille ou sur une pierre chaude environ 3 minutes de chaque côté.

◆ Servir avec la sauce, accompagné d'un riz au jasmin.

À LA POÊLE

Spaghetti sauce à la viande

  ou

4 portions

Voilà un mets « école » par excellence, aussi bien cuisiné au camp que déshydraté. Allez-y ici de votre recette personnelle. Cuisinez cependant la sauce avec le moins de gras possible si vous voyagez en été et que vous comptez la déshydrater. Vous compenserez avec un peu plus d'huile à la préparation.

> 1 l [4 tasses] de sauce à spaghetti
> 45 ml [3 c. à soupe] d'huile
> 500 g [1 lb] de pâtes
> 125 ml [½ tasse] ou plus de parmesan râpé

À LA MAISON

♦ Déshydrater la sauce en fines couches jusqu'à ce qu'elle prenne la texture d'un cuir. L'ensacher dans un sac de papier brun.

AU CAMP

♦ La sauce à spaghetti n'est pas longue à réhydrater, mais il faut y aller en petites étapes : ajouter de l'eau chaude à la sauce, une petite quantité à la fois jusqu'à consistance désirée. Ajouter ensuite l'huile (d'olive de préférence). Couvrir et réchauffer à feu doux.

♦ Cuire les pâtes *al dente* dans un chaudron d'eau bouillante salée. Égoutter.

♦ Servir les pâtes nappées de sauce. Accompagner de parmesan râpé.

Pâtes à la *putanesca*

4 portions

*Le principe même des pâtes à la **putanesca**, un adjectif italien dérivé du mot putain, est qu'elles sont faciles et rapides à préparer... Peu importe, ce plat réjouit pleinement les sens.*

> 45 ml [3 c. à soupe] d'huile d'olive
> 4 filets d'anchois ou 15 ml [1 c. à soupe] de pâte d'anchois
> 2 échalotes grises
> 3 grosses gousses d'ail
> 1 boîte ou tétra de tomates entières [796 ml]
> ou 4 grosses tomates fraîches
> 6 feuilles de sauge
> sel et poivre
> au goût olives noires et câpres
> 500 g de penne, fettuccini ou autres pâtes alimentaires
> 180 ml [¾ tasse] de parmesan râpé
> 60 ml [¼ tasse] de basilic ou persil frais

AU CAMP

♦ Dans une grande poêle, faire chauffer l'huile et ajouter les anchois découpés. Les laisser fondre. Ajouter aussitôt l'échalote grise et l'ail haché, puis les tomates (sans le jus

de la boîte) coupées grossièrement pour leur faire rendre leur eau. Ajouter les feuilles de sauge, saler (attention, les anchois rendent déjà beaucoup de sel), poivrer, puis ajouter les olives noires et les câpres. Laisser mijoter à découvert.

• Pendant ce temps, préparer les pâtes dans un chaudron d'eau salée, et ciseler le basilic ou le persil. Cuire les pâtes *al dente*, les égoutter, puis les incorporer à la sauce. Couvrir généreusement de parmesan et mélanger. Cuire à couvert quelques minutes pour servir bien chaud. Garnir de basilic ou de persil. Servir.

• Prévoir un peu plus de parmesan pour les amateurs.

Jambalaya

4 portions

15 ml [1 c. à soupe] d'huile d'olive
2 poitrines de poulet, coupées en lanières
sel et poivre
250 g [1 tasse] de crevettes moyennes pelées et déveinées (facultatif)
250 g [1 tasse] de chorizo coupé en rondelles
1 oignon moyen haché
1 poivron moyen coupé en dés
2 branches de céleri coupées en petits morceaux
2 oignons verts hachés
375 ml [1 ½ tasse] de riz à grain long
15 ml [1 c. à soupe] d'épices cajun
4 gousses d'ail émincées
375 ml [1 ½ tasse] de jus de tomates ou de légumes
500 ml [2 tasses] d'eau
30 ml [2 c. à soupe] de sauce Worcestershire

AU CAMP

• Dans une grande poêle profonde ou une casserole, chauffer l'huile et y faire revenir le poulet salé et poivré environ 5 minutes. Retirer le poulet et réserver.

• Ajouter les crevettes et les faire sauter jusqu'à ce qu'elles changent de couleur, environ 3 minutes, les retirer et réserver.

• Dans la même poêle, déposer le chorizo et les légumes. Faire revenir le tout quelques minutes. Ajouter le riz, les épices et l'ail, remuer 1 minute. Mouiller avec le jus, l'eau et la sauce. Porter à ébullition. Réduire le feu à minimum, couvrir et laisser mijoter pendant environ 20 minutes ou jusqu'à ce que le riz soit tendre.

◆ Ajouter le poulet et les crevettes, bien mélanger. Servir.

Camping léger

À LA MAISON

◆ Prévoir le poulet cuit, effiloché et déshydraté, des crevettes déshydratées, le chorizo emballé dans du papier, le poivron, le céleri et, si nécessaire, l'oignon déshydratés. Prévoir également une échalote grise, de l'ail, les épices cajun, 60 ml [¼ tasse] de concentré de pâte de tomate ou de légumes, le riz. Emballer ces ingrédients séparément.

AU CAMP

◆ Réhydrater les ingrédients séparément. Procéder comme décrit précédemment. Servir.

Croquettes de morue

6 portions

Ces croquettes, qu'on appelle aussi galettes ou boulettes de poisson en Gaspésie, demandent un peu de méthode lors de leur préparation au camp. Mais l'invulnérabilité des ingrédients qui les composent peut tranquilliser le cuisinier qui prévoit les servir en fin d'une longue expédition. Et le succès qu'elles remportent est infaillible !

500 g [1 lb] de morue salée*
700 g [1 ½ lb] de pommes de terre
ou 540 ml [2 tasses] de flocons pour 3 tasses de purée de pommes de terre
1 oignon haché finement
poivre
5 ml [1 c. à thé] de thym frais ou séché, ou persil ou livèche
80 ml [⅓ tasse] de farine ou chapelure
375 ml [1 ½ tasse] d'huile à frire

✱ Pour être efficace au campement, il est préférable d'utiliser des filets de morue salée et déjà dépecée plutôt que de la morue entière, salée et séchée.

AU CAMP

◆ Faire tremper les morceaux de morue dans de l'eau froide 12 heures auparavant en changeant l'eau 2 ou 3 fois. Attention à ne pas trop dessaler la morue, par excès de zèle, qui assaisonnera l'ensemble du plat.

◆ Dans un chaudron, faire bouillir la morue 15 minutes environ. Jeter l'eau et laisser refroidir.

◆ Éplucher les pommes de terre et les cuire dans l'eau. Jeter l'eau, réduire en purée et laisser refroidir. Ou préparer une purée à partir de flocons de pommes de terre.

◆ Émietter la morue et l'ajouter aux pommes de terre pilées. Ajouter l'oignon, le poivre, les herbes (thym, persil ou livèche). Mélanger le tout. Façonner à la main une douzaine de petites boules de 6 cm [1 ½ po] de diamètre environ en les compactant bien. Les aplatir légèrement avant de les passer soigneusement dans la farine pour qu'elles se tiennent bien à la cuisson. Les déposer délicatement les unes à côté des autres.

◆ Dans une poêle, chauffer l'huile. Déposer les premières croquettes dans l'huile bien chaude. Retourner les croquettes à l'aide d'une spatule quand elles sont colorées au-dessous pour colorer l'autre côté. Entre-temps, éviter de les manipuler. Retirer de l'huile, déposer quelques minutes sur du papier absorbant pour éponger l'excédent d'huile avant de servir. Poursuivre la friture des autres croquettes. Servir accompagnées de riz sauvage au maïs ou d'une purée de courges par exemple (voir pages 142 et 143).

EN CASSEROLE

Jambon bouilli

6 à 8 portions

Bon en toutes saisons, le jambon demeure toutefois l'un de nos plats préférés en hiver… en présence d'un poêle à bois ! En effet, le réchaud et tout le carburant qu'il requiert ne fourniront jamais la chaleur adéquate à sa cuisson lente et sans fracas.

2 oignons
4 clous de girofle
3 carottes
2 kg [4 lb] de jambon à cuire
15 ml [1 c. à soupe] de thym
1 feuille de laurier
1 gousse d'ail
1 branche de céleri, si possible
gros sel
poivre en grains

AU CAMP

◆ Couper les oignons en 4 et les piquer de clous de girofle. Les déposer dans un chaudron avec la carotte coupée en grosses rondelles, le jambon, le thym, le laurier, l'ail, le céleri, le gros sel, les grains de poivre. Couvrir d'eau. Porter à ébullition et réduire le feu de façon à laisser bouillotter en calculant 50 minutes par kilogramme de jambon.

◆ Sortir le jambon du bouillon. Le découper en tranches et servir avec de la moutarde et une purée de pommes de terre ou laisser refroidir pour en faire des sandwiches.

Sauté de veau aux carottes

ou

8 portions

Ce plat mijoté est toujours très apprécié, surtout après une bonne journée passée au froid. Comme il aura été préparé à la maison, il ne restera plus qu'à le décongeler ou à le réhydrater au camp. Ce sauté de veau est une idée parmi tant d'autres de plats mijotés qui, réhydratés, recouvrent toutes leurs saveurs.

30 ml [2 c. à soupe] d'huile d'olive
2 kg [4 lb] de veau désossé, dégraissé, coupé en petits cubes
sel et poivre
4 oignons coupés en fines rondelles
1,5 l [6 tasses] de vin blanc [muscadet par exemple]
6 feuilles de laurier
herbes de Provence
4 petites tomates pelées, épépinées et concassées fraîches ou en conserve
2 kg [4 lb] de carottes, pelées et coupées en fines rondelles

À LA MAISON

◆ Dans une grande cocotte, faire chauffer l'huile sur feu moyen. Faire dorer les morceaux de veau, en les retournant sur toutes les faces, sans surcharger la cocotte. Saler et poivrer. Compter environ 5 minutes. S'ils doivent être déshydratés, égoutter les morceaux rissolés sur un papier essuie-tout pour les dégraisser. Reprendre ainsi l'opération jusqu'à ce que toute la viande soit rissolée.

• Réunir tous les morceaux rissolés dans la cocotte. Ajouter les oignons et faire cuire 2 ou 3 minutes. Déglacer avec 500 ml [2 tasses] de vin, puis baisser le feu. Ajouter le laurier, les herbes et porter à ébullition. Laisser mijoter 5 minutes. Verser encore 500 ml [2 tasses] de vin et ajouter les tomates. Couvrir et laisser mijoter doucement pendant 1 heure. Verser le reste du vin, couvrir et poursuivre la cuisson pendant encore 1 heure.

• Retirer les morceaux de veau et les réserver. Ajouter les carottes. Couvrir et faire cuire doucement de 40 à 45 minutes. Les carottes ont alors absorbé une grande partie de la sauce. Remettre les morceaux de veau dans la cocotte et faire réchauffer doucement. Rectifier l'assaisonnement.

Conservation par la congélation et Camping léger

• Laisser refroidir, puis congeler dans deux épaisseurs de sacs étanches bien scellés ou, mieux, sous vide.

ou

• Déshydrater le tout en fines couches en prenant soin d'effilocher la viande ou de la tailler en petits morceaux.

AU CAMP

• Réchauffer le mets en plongeant les sacs dans une casserole d'eau chaude maintenue au point d'ébullition jusqu'à ce qu'il soit prêt à servir.

ou

• Réhydrater en arrosant d'un peu d'eau chaude à maintes reprises (prévoir quelques heures au moins) jusqu'à consistance désirée. Puis réchauffer.

• Servir avec du riz ou du couscous.

Bacalhau
ou gratin de morue
à la portugaise

4 portions

Les Portugais fréquentent les bancs de Terre-Neuve depuis le 16ᵉ siècle aux côtés des morutiers français et espagnols. Tous ces catholiques doivent manger maigre au moins 153 jours par année ! Des peuples européens, les Portugais sont restés les plus fidèles au goût pour le bacalhau ou morue, salée et séchée au soleil. Ce mets figure encore aux rangs des plats nationaux.

Photo : Nathalie Dumouchel

350 g [¾ lb] de morue salée*

3 oignons émincés

2 gousses d'ail hachées

650 g ou 4 belles pommes de terre en rondelles

15 ml [1 c. à soupe] ou plus de thym

1 poivron rouge ou vert en lanières

12 ou plus olives noires

poivre

60 ml [¼ tasse] d'huile d'olive

✣ Pour être efficace au campement, il est préférable d'utiliser des filets de morue salée et déjà dépecée plutôt que de la morue entière, salée et séchée.

AU CAMP

◆ Faire tremper les morceaux de morue dans de l'eau froide 12 heures auparavant en changeant l'eau 2 ou 3 fois. Attention à ne pas trop dessaler la morue, par excès de zèle, qui assaisonnera l'ensemble du plat.

◆ Dans une casserole, faire un lit d'oignon et d'ail haché. Y déposer la morue, puis les pommes de terre au-dessus. Garnir d'une forte pincée de thym, de lanières de poivrons et de quelques olives noires. Ajouter le poivre et arroser avec l'huile d'olive.

◆ Cuire à couvert sur feu doux de 45 minutes à 1 heure environ ou jusqu'à cuisson complète des pommes de terre.

Lentilles du Puy
au hachis de lardons

OU

8 à 10 portions

Composé d'ingrédients résistants au temps et au climat, ce plat nourrissant a toujours du succès. Quelques saucisses poêlées ou ajoutées à la potée en début de cuisson accompagneront ce plat à merveille.

3 oignons
4 clous de girofle
4 carottes coupées en petits morceaux
4 branches de céleri coupées en petits morceaux
2 ou 3 feuilles de laurier
10 ml [2 c. à thé] de thym
3 l [12 tasses] d'eau
1,2 kg [5 tasses] de lentilles du Puy
sel et poivre

Hachis de lardons

8 grosses tranches de lard fumé
ou morceau de 500 g [1 lb] emballé sous vide
15 ml [1 c. à soupe] de beurre
8 échalotes grises
8 gousses d'ail

AU CAMP

◆ Piquer les oignons de clous de girofle. Déposer tous les ingrédients dans une casserole et verser l'eau. Porter à ébullition, puis cuire doucement pendant 30 à 45 minutes. Saler et poivrer en fin de cuisson pour éviter de durcir les lentilles.

◆ Pendant ce temps, dans une poêle, faire revenir le lard coupé en morceaux dans le beurre. Ajouter l'échalote et l'ail grossièrement hachés.

◆ Déposer le hachis sur la potée de lentilles. Servir.

Camping léger

À LA MAISON

◆ Ensacher ensemble les lentilles, 25 g (⅓ tasse) d'oignons déshydratés, les clous de girofle, 100 g (1 ¼ tasse) de carottes et de céleri déshydratés, les feuilles de laurier et le thym.

◆ Faire revenir le lard et l'ensacher sous vide, si possible. Au besoin, déshydrater et ensacher à part l'échalote et l'ail hachés.

AU CAMP

◆ Déposer le mélange de lentilles dans une casserole avec 3 litres d'eau et cuire 30 à 45 minutes à feu modéré.

◆ Pendant ce temps, réhydrater le mélange d'échalotes et d'ail et le faire revenir dans un poêlon avec le lard.

◆ Déposer ce mélange sur la potée de lentilles et servir.

Pâtes aux pacanes

4 portions

*Simple comme bonjour, léger et économe en combustible,
ce mets se prépare en un tournemain pour les repas
du midi comme du soir.*

    500 g de pâtes (fusilli, penne ou autres)
    125 ml [½ tasse] de pacanes grillées
    125 ml [½ tasse] de parmesan
    125 ml [½ tasse] de crème 35 %
    (ou tétra de crème à cuisiner)
    30 ml [2 c. à soupe] de persil

AU CAMP

♦ Cuire les pâtes *al dente* dans l'eau bouillante salée. Bien
les égoutter. Mélanger tous les ingrédients et servir chaud.

Photo : Sylvie Michaud

Mont Logan, Chic Chocs, 2005

Gnocchis sauce tomate

8 portions

Gnocchis

1,25 l [5 tasses] de pommes de terre déshydratées en flocons du commerce (de variété «Idaho» de préférence)

1,5 l [6 tasses] de farine (idéalement de blé dur de type 00)

125 ml [½ tasse] d'œufs en poudre

1 noix de muscade rapée

Sauce tomate

80 ml [⅓ tasse] d'huile d'olive (à ajouter au camp)

1 oignon

2 gousses d'ail

1 carotte

1 branche de céleri

1 boîte de tomates [de 28 oz ou 796 g]

60 ml [¼ tasse] de vin blanc

1 feuille de laurier

5 ml [1 c. à thé] de thym

5 ml [1 c. à thé] d'origan

sel et poivre

2 tomates séchées

125 g de champignons sauvages ou l'équivalent de cèpes secs (20 g dans 80 ml [⅓ tasse] d'eau bouillante)

250 ml [1 tasse] de crème (en tétra)

125 g de prosciutto

80 ml [⅓ tasse] de fromage parmesan

Rivière George, 2001

À LA MAISON

• *Gnocchi* : Ensacher tous les ingrédients ensemble sauf 250 ml [1 tasse] de farine ensachée à part.

• *Sauce tomate* : Résister à l'envie de mettre de l'huile d'olive durant la confection de cette sauce, surtout si elle doit voyager l'été. Faire suer l'oignon, l'ail, la carotte et le céleri émincés. Mouiller avec les tomates, le vin. Ajouter le laurier, le thym, l'origan, le sel et le poivre. Laisser réduire. Retirer la feuille de laurier et réduire en purée. Laisser refroidir et déshydrater jusqu'à l'obtention d'un cuir.

AU CAMP

• *Sauce tomate* : Réhydrater la sauce en ajoutant de l'eau chaude une petite quantité à la fois.

• À la cuisson, ajouter généreusement l'huile d'olive afin d'obtenir un goût et une texture sans pareil. À la fin de la cuisson, ajouter les tomates séchées, les cèpes réhydratés qu'on aura au préalable fait revenir dans un peu de beurre (ou encore mieux, des champignons frais cueillis sur place). Incorporer la crème et ajouter le prosciutto tranché sur place à la dernière minute. Faire réchauffer quelques minutes.

• *Confection des gnocchis* : Mélanger les ingrédients secs, ajouter de l'eau progressivement jusqu'à l'obtention d'une purée plus ou moins sèche. Façonner la pâte en boulettes de la grosseur d'une petite pomme. Rouler à la main en rouleaux de 2 cm (½ po) de diamètre sur un plan de travail bien fariné, par exemple un canot renversé et lavé. Couper en longueur d'environ 3 cm (¾ po) et sculpter au goût la forme des gnocchis.

• Cuire dans beaucoup d'eau très salée, par petites quantités. Lorsque l'eau bout, les gnocchis remonteront rapidement à la surface (2 à 3 minutes). Cueillir alors aussitôt les gnocchis un à un et les laisser égoutter. Répéter l'exercice jusqu'à ce que tous les gnocchis soient cuits.

• Servir dans un bol. Napper de sauce et saupoudrer de parmesan fraîchement râpé.

Tadoussac, 2004

Moussaka

  ET

4 portions

Ce plat est certes plus complexe à préparer qu'un spaghetti sauce à la viande, mais tellement bon et réconfortant après plusieurs jours ou semaines d'expédition ! L'aubergine est étonnante tant elle reprend sa texture et son goût après réhydratation. Rien n'empêche de préparer en plein air une moussaka avec des aliments frais, mais nous avons choisi ici de n'en présenter qu'une version légère.

> 1 aubergine de 600 g environ
>
> 500 g [1 lb] d'agneau haché maigre
>
> 60 ml [¼ tasse] de tomates séchées
>
> 125 ml [½ tasse] de farine
>
> 125 ml [½ tasse] d'huile
>
> 1 oignon
>
> 2 gousses d'ail
>
> 5 ml [1 c. à thé] de paprika
>
> 60 ml [¼ tasse] de pâte de tomates
>
> sel et poivre
>
> 5 ml [1 c. à thé] ou plus de thym ou sarriette
>
> 2 feuilles de laurier
>
> 125 ml [½ tasse] de vin blanc
>
> 2 œufs battus (si possible)
>
> 125 ml [½ tasse] yogourt*
>
> * Le yogourt peut être apporté frais ou préparé au camp (voir page 83).

Variante : la garniture à base de yogourt peut être remplacée par 250 ml (1 tasse) de sauce béchamel :

> 30 ml [2 c. à soupe] de farine
>
> 30 ml [2 c. à soupe] de beurre
>
> 250 ml [1 tasse] de lait (ou 4 c. à soupe de poudre de lait dans 1 tasse d'eau)

Camping léger

À LA MAISON

◆ Déshydrater l'aubergine crue, coupée en rondelles, jusqu'à ce qu'elle soit bien sèche, quoique souple. Au besoin, déshydrater l'oignon.

◆ Cuire la viande dans un petit peu d'huile, en salant légèrement, puis la déposer quelques minutes sur un papier absorbant. La déshydrater et l'ensacher dans du papier brun.

◆ Prévoir les autres ingrédients secs, l'huile et, si possible, le vin blanc et les œufs.

AU CAMP

◆ Au moins 2 ou 3 heures avant la préparation du repas, réhydrater l'aubergine, la viande, les tomates séchées et l'oignon, s'il a été séché, en humectant de temps en temps.

◆ Égoutter les aubergines et les passer légèrement à la farine. Réserver un peu de farine pour la préparation du mélange de yogourt. Faire revenir les aubergines dans l'huile pour les colorer, puis réserver.

- Dans le même chaudron, faire chauffer un peu d'huile pour faire revenir l'oignon et l'ail hachés, puis ajouter la viande et le paprika. Après quelques minutes, ajouter les tomates séchées et la pâte de tomates. Saler, poivrer et remuer. Ajouter le thym ou la sarriette et le laurier. Verser le vin blanc et laisser mijoter doucement pendant quelques minutes.

- Dans un autre chaudron, déposer le tiers des tranches d'aubergine. Recouvrir de la moitié de la viande. Couvrir à nouveau d'un tiers d'aubergine, du reste de l'agneau et encore du reste d'aubergine.

- Si possible, battre deux œufs avec une cuillerée de farine, ajouter le yogourt et un peu de sel. Verser ce mélange sur le dessus du plat et cuire environ 30 minutes à feu doux ou au four hollandais (voir page 45).

- Servir.

Variante avec sauce béchamel :

- Dans une poêle, faire chauffer ensemble le beurre et la farine et remuer. Ajouter le lait et bien mélanger pour éviter les grumeaux. Garnir les aubergines de cet appareil et poursuivre la cuisson à feu doux durant 30 minutes.

Arrivée de la Nastapoka dans la Baie d'Hudson
Photo : Sylvie Michaud

Pâté chinois

4 portions

Les Irlandais préparaient un hachis d'agneau recouvert de purée de pomme de terre. Immigrant en Amérique, ils ont remplacé l'agneau par du bœuf quand ils étaient cow-boys ou du gibier quand ils travaillaient à la construction du chemin de fer. S'est ajouté au mets le maïs des Indiens. Alors pourquoi « chinois » ? Parce que tout ce qui surprenait les Canadiens français était … chinois !

2 oignons émincés
60 ml [¼ tasse] d'huile
2 gousses d'ail
500 g [1 lb] de viande hachée maigre (bœuf, veau ou orignal)
sel et poivre
5 ml [1 c. à thé] de sarriette ou thym
2 boîtes de maïs en crème de 395 ml
375 ml [1 ½ tasse] de flocons de pommes de terre
60 ml [¼ tasse] de lait en poudre
440 ml [1 ⅓ tasse] d'eau
40 g [⅓ tasse] de fromage râpé (facultatif)

Camping léger

À LA MAISON

◆ Faire revenir les oignons émincés dans très peu d'huile, ajouter l'ail puis la viande hachée. Assaisonner avec le sel, le poivre, la sarriette ou le thym. Déshydrater le mélange et l'ensacher.

◆ Déshydrater le maïs en crème et l'ensacher.

AU CAMP

◆ Réhydrater le mélange de viande et le maïs en commençant 2 ou 3 heures avant la préparation du repas en humectant de temps en temps.

◆ Préparer la purée à partir de flocons de pommes de terre et du lait en poudre en ajoutant l'eau. Assaisonner légèrement. Ajouter ensuite le fromage râpé aux pommes de terre. Elles n'en seront que meilleures.

◆ Disposer le maïs sur la viande, puis la purée.

◆ Cuire à feu très doux ou au four hollandais (voir page 45) environ 20 minutes. Servir.

◆ Avis aux amateurs : le ketchup se conserve bien et se déshydrate très facilement.

Poulet au beurre à l'indienne

4 portions

Voilà un mets passe-partout, à la fois parfumé et doux, qui plaît toujours et qui est tout simple à préparer. On peut congeler les morceaux de poulet dans leur marinade au yogourt avant de partir pour en allonger le temps de conservation.

250 ml [1 tasse] de yogourt

60 ml [¼ tasse] d'amandes moulues

5 ml [1 c. à thé] de poudre de chili

2 feuilles de laurier

1 ml [¼ c. à thé] de cannelle

5 ml [1 c. à thé] de garam masala

4 capsules de cardamome

1 morceau de gingembre râpé [15 mm]

2 gousses d'ail hachées

5 ml [1 c. à thé] de sel

1 kg [2 lb] de poitrines de poulet en dés

2 oignons hachés finement

80 ml [⅓ tasse] de beurre

375 ml [1 ½ tasse] de tomates en dés

coriandre fraîche hachée (facultatif)

AU CAMP

◆ Mélanger le yogourt, les amandes, les épices, le gingembre, l'ail et le poulet. Laisser reposer.

◆ Dans une casserole, faire revenir l'oignon dans le beurre. Ajouter la tomate et le mélange de poulet. Cuire de 25 à 30 minutes.

◆ Servir avec des nans (voir *Pain « nan-banique »*, page 148) et du riz. Garnir de coriandre, si désiré.

Lac Némiscau, Rupert, 2005
Photo: Jean-François Charron

Couscous royal

12 portions

Ce plat qui inspire à la fête demande du temps de préparation et des aides-cuisiniers pour parer les légumes et maintenir le feu. Il est idéal pour les grands groupes qui voyagent sans contraintes de poids et de volume. On peut simplifier cette recette en ne choisissant qu'une des viandes ou en omettant certains légumes. Puisqu'on peut jouer avec les quantités de bouillon et de semoule, on pourra accueillir des convives d'un campement voisin.

300 ml [1 ¼ tasse] d'huile
125 g [½ tasse] de beurre
1,5 kg [environ 3 lb] de poulet découpé en morceaux
750 g [1 ½ lb] de mouton en gros morceaux
4 gros oignons
10 échalotes
5 gousses d'ail
250 g [½ lb] de carottes
3,5 l [14 tasses] d'eau
200 g [⅓ tasse] de pois chiches secs
125 g [¼ lb] de raisins secs
8 à 10 petites courgettes
250 g [½ lb] d'aubergines
1 chou
graines de coriandre (au goût)
safran (au goût)
250 g [½ lb] de merguez
500 g [1 lb] de tomates
1 branche de céleri
125 g [¼ lb] de dattes
1 kg [2 lb] de semoule
sel et poivre
10 ml [2 c. à thé] de pâte de tomates
harissa (au goût)

Rivière Rupert
Photo : Maude Saucier

AU CAMP

◆ Dans un mélange d'huile et de beurre, faire revenir le poulet et le mouton en morceaux. Ajouter la moitié des oignons, l'échalote et l'ail émincés, saler, poivrer. Ajouter 1 tasse d'eau. Laisser mijoter 2 heures. Réserver.

◆ Préparer le bouillon en faisant transpirer le reste des oignons coupés en deux et les carottes en gros morceaux. Ajouter l'eau et les pois chiches. Saler et poivrer et laisser mijoter à feu moyen durant 1 h 45.

◆ Pendant ce temps, mettre les raisins à tremper dans un peu de bouillon.

◆ Dans le bouillon, ajouter les courgettes, les aubergines coupées en gros dés et le chou coupé en gros morceaux. Ajouter la coriandre et le safran. Laisser mijoter 20 minutes.

◆ Pendant ce temps, griller les merguez à la poêle ou directement sur la grille, doucement, au-dessus de la braise.

◆ Dans le bouillon, ajouter les tomates coupées, un peu d'ail, le céleri en gros morceaux, les raisins, les dattes et tous les morceaux de viande. Remuer. Couvrir et laisser mijoter à feu doux 15 minutes.

◆ Pendant, ce temps, préparer la semoule avec du bouillon.

◆ Pour servir, déposer les légumes et la viande légèrement égouttés sur la semoule. Ajouter la pâte de tomates et la sauce harissa (au goût) au bouillon et arroser chaque assiette avec ce bouillon.

Rivière Mistassibi Nord-Est, 2008

Photo : Jean-François Déziel

« TRIO INDIEN »

Dal

6 portions

Le dal, c'est à la fois la sorte de lentilles et le plat en lui-même. Au final, il s'agit de lentilles jaunes bien assaisonnées et revenues dans le ghee. On accompagne le dal de chutney à la mangue et d'un plat à base de viande ou de produits de la mer, tel que les crevettes à la sauce au lait de coco.

500 g [1 lb] de dal [lentilles jaunes]

15 ml [1 c. à soupe] de curcuma

2 ml [½ c. à thé] de poivre de Cayenne

2 ml [½ c. à thé] de sel

180 ml [⅔ tasse] de ghee

2 oignons frais finement émincés
ou 60 ml [¼ tasse] d'oignons déshydratés

15 ml [1 c. à soupe] de graines de cumin

15 ml [1 c. à soupe] de graines de coriandre
ou 2 c. à soupe de coriandre fraîche

AU CAMP

◆ Rincer le dal à l'eau froide. Le déposer dans une casserole et ajouter de l'eau pour couvrir. Ajouter le curcuma, le poivre de Cayenne, le sel et porter à ébullition. Baisser le feu, couvrir à moitié et laisser mijoter à feu doux 30 minutes. Ajouter de l'eau, si nécessaire.

◆ Dans une poêle, faire fondre la moitié du ghee et y faire revenir l'oignon (si on utilise l'oignon déshydraté, on le fera réhydrater avant pendant 20 minutes) et les graines de cumin. Faire revenir de 7 à 8 minutes. Ajouter au dal, cuire de 1 à 2 minutes et arroser avec le reste du ghee qu'on a fait fondre. Ajouter la coriandre.

Chutney
à la mangue

6 portions

180 ml [¾ tasse] d'eau

15 ml [1 c. à soupe] de curcuma

sel

2 belles mangues tranchées

15 ml [1 c. à soupe] de fécule de maïs

170 ml [⅔ tasse] de sucre

30 ml [2 c. à soupe] de ghee

10 ml [2 c. à thé] de graines de moutarde

3 ml [½ c. à thé] de poivre de Cayenne

À LA MAISON

♦ Ajouter le curcuma et le sel à l'eau. Porter à ébullition. Ajouter les mangues. Cuire 10 minutes à feu modéré ou jusqu'à ce que les mangues deviennent translucides. Monter le feu et cuire 5 minutes. Délayer la fécule dans 30 ml [2 c. à soupe] d'eau. Ajouter aux mangues. Ajouter le sucre. Laisser épaissir quelques instants et retirer du feu.

♦ Chauffer le ghee dans une poêle, ajouter les graines de moutarde et le poivre de Cayenne. Ajouter aux mangues.

♦ Déshydrater jusqu'à l'obtention d'une pâte de fruits.

AU CAMP

♦ Réhydrater en ajoutant une petite quantité d'eau chaude à la fois. Servir froid avec les crevettes et le dal.

Crevettes sauce au lait de coco

6 portions

24 grosses crevettes cuites, déshydratées

2 oignons ou 60 ml [¼ tasse] d'oignons déshydratés

45 ml [3 c. à soupe] de ghee

10 ml [2 c. à thé] de garam masala

10 ml [2 c. à thé] de curcuma

3 ml [½ c. à thé] de poivre de Cayenne

2 feuilles de laurier

5 ml [1 c. à thé] de cannelle

4 capsules de cardamome

4 clous de girofle

500 ml [2 tasses] de lait de coco
(frais ou à partir de poudre)

5 ml [1 c. à thé] de sucre

sel

À LA MAISON

◆ Comme on utilise de grosses crevettes, on peut les découper par la longueur jusqu'à la queue et les ouvrir délicatement pour les déshydrater. On les refermera par la suite, leur redonnant leur apparence initiale.

◆ Prévoir de l'oignon déshydraté, si désiré.

AU CAMP

◆ Faire réhydrater les crevettes. Réhydrater l'oignon au besoin.

◆ Chauffer le ghee, ajouter le garam masala et laisser cuire 1 minute pour dégager l'arôme. Ajouter les oignons, le curcuma, le poivre de Cayenne, le laurier, la cannelle, la cardamome et les clous de girofle. Cuire 2 minutes. Ajouter la moitié du lait de coco, le sucre et le sel. Baisser le feu, ajouter les crevettes et cuire de 10 à 15 minutes. Ajouter le reste du lait de coco. Augmenter le feu jusqu'à ébullition et retirer du feu.

Pizza au saumon fumé

6 à 8 portions

Voilà de quoi épater la galerie ! Ce mets délicieux, dont la préparation invite à la fête, demande d'avoir du temps devant soi et une température clémente.

La pâte pour 2 pizzas de 14 po*

1 paquet de levure sèche rapide [8 g]

500 ml [2 tasses] d'eau chaude

2 œufs

30 ml [2 c. à soupe] de sucre

5 ml [1 c. à thé] de sel

60 ml [¼ tasse] d'huile

1 l [4 tasses] de farine

60 ml [¼ tasse] de farine supplémentaire

✳ Prévoir des plaques ou assiettes à pizza

La garniture

2 poivrons verts séchés

100 g de champignons séchés

500 g de fromage cheddar

80 ml [⅓ tasse] de câpres

450 g [1 lb] saumon fumé (emballé sous vide)

250 ml [1 tasse] de sauce tomate à pizza (ou 1 boîte de 7,5 oz)

1 oignon rouge coupé en rondelles

origan et basilic séché

Rivière Bonaventure, 2007

AU CAMP

La pâte

♦ Dans un grand bol, dissoudre la levure dans l'eau chaude et laisser reposer quelques minutes. Ajouter les œufs, le sucre, le sel et l'huile. Mélanger vigoureusement pour obtenir une mousse. Ajouter 750 ml [3 tasses] de farine et mélanger jusqu'à l'absorption du liquide. Ajouter 250 ml [1 tasse] de farine petit à petit en pétrissant avec les mains jusqu'à ce que la pâte soit lisse et qu'elle ne colle plus au bol.

♦ Diviser et faire deux boules. Les déposer sur une surface farinée, recouvrir d'un torchon et laisser lever de 40 à 60 minutes. Pendant ce temps, effectuer les premières étapes de préparation de la garniture et préparer le four (voir *Au four à pizza*, page 45).

La garniture

♦ Réhydrater les poivrons verts et les champignons. Râper le fromage. Égoutter les câpres. Émietter le saumon.

♦ Fariner généreusement les plaques et y rouler la pâte, puis l'aplatir avec les doigts en commençant par le centre. Étirer jusqu'à former un rebord.

♦ Étendre la sauce tomate sur la pâte. Disposer le saumon fumé, puis les poivrons verts et les champignons, les rondelles d'oignon, les câpres et le fromage. Saupoudrer au goût de basilic et d'origan. Cuire chaque pizza au four 20 minutes environ.

Desserts

Port Daniel, Baie des Chaleurs, 2007

Pain aux figues et aux noisettes

8 à 10 portions

375 ml [1 ½ tasse] de figues sèches
250 ml [1 tasse] d'eau bouillante
45 ml [3 c. à soupe] de beurre
125 ml [½ tasse] de cassonade
500 ml [2 tasses] de farine
125 ml [½ tasse] de farine de blé entier
7 ml [1 ½ c. à thé] de bicarbonate de soude
2 ml [½ c. à thé] de sel
5 ml [1 c. à thé] de levure chimique (poudre à pâte)
250 ml [1 tasse] de noisettes hachées grossièrement
2 œufs
125 ml [½ tasse] de jus d'orange
18 noisettes entières pour décorer

À LA MAISON OU AU CAMP

✦ Si l'on cuisine ce pain à la maison, préchauffer le four à 180 °C (350 °F)

✦ Couper les figues et les mettre dans un bol avec l'eau bouillante, le beurre et la cassonade. Mélanger et laisser refroidir.

✦ Mélanger les farines, le bicarbonate de soude, le sel et la poudre à pâte. Ajouter le mélange de figues et remuer. Incorporer les noisettes, les œufs et le jus d'orange. Ne pas trop mélanger.

✦ Verser dans un moule bien graissé et fariné. Garnir de noisettes. Cuire de 30 à 40 minutes au four ou au four hollandais (voir page 45) ou jusqu'à ce que la lame d'un couteau insérée au centre ressorte propre.

Parc national Auyuittuq, Baffin, 2007

Photo : Maxime Cousineau

Gâteau mexicain au chocolat

8 portions

Ce gâteau étonnamment épicé et très nourrissant est un excellent choix de dessert en hiver lorsque le voyage en permet le transport.

500 ml [2 tasses] de haricots noirs en conserve, rincés (1 boîte 540 ml ou 19 oz)

310 ml [1 ¼ tasse] de babeurre*

125 ml [½ tasse] de poudre de cacao

500 ml [2 tasses] de farine tout usage

5 ml [1 c. à thé] de levure chimique (poudre à pâte)

3 ml [½ c. à thé] de bicarbonate de soude

10 ml [2 c. à thé] de cannelle

1 ml [¼ c. à thé] de piment de Jamaïque moulu, poivre de Cayenne et sel

3 ml [½ c. à thé] de poivre frais moulu

180 ml [¾ tasse] de beurre à la température de la pièce

250 ml [1 tasse] de sucre brun (cassonade)

180 ml [¾ tasse] sucre

3 œufs

15 ml [1 c. à soupe] rhum brun

125 ml [½ tasse] d'amandes moulues (facultatif)

✻ On peut remplacer le lait de beurre ou babeurre par la même quantité de lait additionné de 18 ml [1 ½ c. à soupe] de jus de citron qu'on laisse reposer 10 minutes.

À LA MAISON

◆ Préchauffer le four à 180 °C [350 °F]. Graisser et fariner un moule de 22 × 30 cm [9 po × 13 po] ou de 25 cm de diamètre [10 po].

◆ Au robot culinaire, réduire les fèves en purée avec le babeurre et le cacao.

◆ Dans un bol, combiner les ingrédients secs : farine, poudre à pâte, bicarbonate de soude, épices, sel et poivre.

◆ Mélanger à la main ou au mélangeur électrique le beurre, la cassonade et le sucre. Incorporer les œufs un à un, puis le rhum. Ajouter graduellement à cet appareil, en alternance, le mélange de farine puis de fèves. Si désiré, ajouter les amandes. Placer la pâte ainsi obtenue dans le moule (égaliser le dessus). Cuire au four environ 45 minutes ou jusqu'à ce qu'un cure-dent inséré au centre ressorte propre.

◆ Refroidir et démouler. Servir nature ou saupoudré de sucre à glacer.

Brownies

 ou

8 à 10 portions

180 ml [¾ tasse] de beurre fondu

375 ml [1 ½ tasse] de sucre

7 ml [1 ½ c. à thé] de vanille

3 œufs battus

125 ml [½ tasse] de cacao

180 ml [¾ tasse] de farine

2 ml [½ c. à thé] de levure chimique (poudre à pâte)

5 ml [1 c. à thé] de sel

250 ml [1 tasse] de pacanes ou noix de Grenoble

250 ml [1 tasse] de chocolat noir en petits morceaux

À LA MAISON

◆ Préchauffer le four à 180 °C [350 °F].

◆ Mélanger le beurre, le sucre, la vanille et les œufs.

◆ Mélanger les ingrédients secs, y incorporer le mélange de beurre et d'œufs. Déposer cet appareil dans un moule rectangulaire graissé de 22 × 30 cm [9 po × 13 po].

◆ Cuire au four de 25 à 30 minutes environ.

AU CAMP

◆ Procéder comme précédemment, en cuisant toutefois au four hollandais (voir page 45).

Gâteau aux carottes

8 à 12 portions

625 ml [2 ½ tasses] de farine tout usage

15 ml [1 c. à soupe] de levure chimique (poudre à pâte)

15 ml [1 c. à soupe] de bicarbonate de soude

15 ml [1 c. à soupe] de cannelle

2 ml (½ c. à thé] de sel

500 ml [2 tasses] de sucre

250 ml [1 tasse] d'huile végétale

4 œufs

750 ml [3 tasses] de carottes râpées

5 ml [1 c. à thé] de vanille

250 ml [1 tasse] de noix grossièrement hachées

250 ml [1 tasse] de raisins

À LA MAISON

◆ Préchauffer le four à 180 °C [350 °F].

◆ Graisser et fariner un moule de 22 × 30 cm [9 po × 13 po] ou de 25 cm de diamètre [10 po]. Dans un bol, combiner les ingrédients secs : bicarbonate, farine, poudre à pâte, cannelle et sel.

◆ Dans un autre bol, mélanger à la main ou au mélangeur électrique l'huile et le sucre. Ajouter les œufs un à un en brassant entre chacun. Ajouter les carottes et la vanille.

◆ Incorporer graduellement, en alternant, le mélange de farine au mélange liquide. Ajouter les noix et les raisins. Déposer dans le moule et cuire au four environ 55 minutes ou jusqu'à ce que la lame d'un couteau insérée au centre ressorte propre.

AU CAMP

◆ Procéder comme précédemment, en cuisant toutefois au four hollandais (voir page 45).

Oranges givrées

4 portions

Entre le sorbet et le « petit punch » antillais, ce dessert est vraiment approprié aux sorties d'hiver. Attention ! Bien qu'il soit tentant d'avoir la main lourde sur le rhum, trop d'alcool empêcherait le sorbet de givrer. Mieux vaut le boire en digestif !

4 oranges *

au goût sucre ou cassonade
(environ la moitié du volume du jus des oranges)

60 ml [¼ tasse] de rhum

✻ Prévoir quelques oranges supplémentaires pour remplacer celles qui perceraient au cours de la préparation.

AU CAMP

◆ Découper un chapeau au sommet de chaque orange. Évider les oranges en gardant l'écorce intacte. Elle servira de contenant au futur sorbet. Recueillir le contenu des oranges dans un bol et en enlever les membranes de façon à ne conserver que le jus et la pulpe. Sucrer. Ajouter le rhum et laisser se dissoudre le sucre ou la cassonade quelques minutes et se marier le rhum.

◆ Remplir chaque orange de ce mélange en prenant soin de les maintenir bien droites. Sortir les oranges au froid au moins 1 heure pour que le sorbet prenne bien. Servir.

Pruneaux
au vin rouge

8 portions

Un délice dont les restants accompagneront banique, galette ou céréales chaudes du lendemain matin.

500 ml [2 tasses] de pruneaux
250 ml [1 tasse] de vin rouge
250 ml [1 tasse] de sucre
2 tranches de citron
3 tranches d'oranges
1 bâton de cannelle (facultatif)

AU CAMP

◆ La veille, faire tremper les pruneaux dans de l'eau (assez pour les recouvrir) pendant 24 heures. Égoutter et jeter l'eau.

◆ Déposer les pruneaux dans une grande casserole. Ajouter le vin, le sucre, les rondelles d'agrumes et le bâton de cannelle. Porter à ébullition. Dès que le liquide commence à bouillir, retirer du feu et laisser refroidir.

◆ Servir tel quel ou avec des biscuits, un peu de crème ou du yogourt.

Riz au lait et à la cardamome

4 portions

Simple et parfumé, composé d'aliments légers et durables, ce dessert est le préféré des fins de longues expéditions. On le cuisine à feu très doux, au-dessus d'une cendre chaude.

60 ml [¼ tasse] de riz (à grains ronds de préférence)*

1 l [4 tasses] de lait frais ou en poudre (250 ml [1 tasse] pour 1 l d'eau)

60 ml [¼ tasse] de sucre ou cassonade

2 ou 3 capsules de cardamome

15 ml [1 c. à soupe] d'eau de fleur d'oranger

* Si le temps presse, on peut augmenter la quantité de riz qui donnera au pouding la consistance désirée en moins de temps de cuisson. Le résultat sera alors moins onctueux, mais plus nutritif.

AU CAMP

◆ Rincer et égoutter le riz.

◆ Préparer 1 litre de lait avec de la poudre. Le faire chauffer à feu très doux et y jeter le riz en pluie. Ajouter le sucre et la cardamome. Cuire à feu doux pendant 2 heures environ en remuant de temps en temps et bien surveiller pour que le lait ne bouille pas.

◆ Lorsque le riz est cuit et que le mélange est onctueux, retirer du feu. Retirer la cardamome. Ajouter quelques gouttes d'eau de fleur d'oranger. Mélanger. Laisser refroidir. Garnir chaque portion d'une capsule de cardamome ou d'une feuille de menthe cueillie dans la journée.

Pralines aux pacanes

12 grandes pralines ou 48 morceaux

454 g [1 lb] de beurre fondu

500 ml [2 tasses] de cassonade

2 œufs battus

5 ml [1 c. à thé] de vanille

500 ml [2 tasses] de farine

5 ml [1 c. à thé] de levure chimique (poudre à pâte)

1 pincée de sel

250 ml [1 tasse] de pacanes

À LA MAISON

◆ Préchauffer le four à 160 °C [325 °F].

◆ Dans un bol, mélanger le beurre, la cassonade, les œufs battus et la vanille.

◆ Dans un autre bol, mélanger la farine, la levure chimique et le sel. Incorporer doucement ce mélange au mélange de beurre. Incorporer ensuite les pacanes.

◆ Déposer cet appareil sur une plaque graissée et farinée en une couche assez épaisse. Cuire au four 30 minutes. Découper en larges morceaux et laisser refroidir avant de servir ou d'ensacher pour le voyage.

Biscottis aux amandes

24 biscottis

C'est sec, ça se conserve longtemps et c'est délicieux avec du vin rouge !

420 ml [1 ¾ tasse] de farine
10 ml [2 c. à thé] de levure chimique (poudre à pâte)
180 ml [¾ tasse] d'amandes entières non émondées
2 œufs
180 ml [¾ tasse] de sucre
80 ml [⅓ tasse] de beurre fondu
10 ml [2 c. à thé] de vanille
2 ml [½ c. à thé] d'extrait d'amandes
7 ml [1 ½ c. à thé] d'écorce d'orange râpée
1 blanc d'œuf légèrement battu

À LA MAISON

• Mélanger la farine, la levure et les amandes.

• Dans un bol, battre les œufs avec le sucre, le beurre, la vanille, l'extrait d'amandes et l'écorce d'orange. Ajouter cet appareil aux ingrédients secs. Mélanger les ingrédients jusqu'à l'obtention d'une pâte souple et collante.

• Déposer la pâte sur une surface légèrement farinée. Façonner en une boule lisse et diviser en deux rouleaux de 30 cm [12 po] de longueur. Déposer sur une plaque non graissée. Badigeonner le dessus de blanc d'œuf et cuire à 180 °C [350 °F] pendant 20 minutes. Retirer du four et laisser refroidir 5 minutes.

• Sur une planche, découper en diagonale les rouleaux en tranches de 2 cm d'épaisseur, d'un coup sec pour trancher les amandes. Remettre les biscuits debout sur la plaque et cuire de nouveau 20 à 25 minutes jusqu'à ce qu'ils soient bien dorés. Refroidir sur des grilles.

Fruits sauce sucrée

4 portions

125 ml [½ tasse] de cassonade ou sucre

250 ml [1 tasse] d'eau bouillante

cannelle et clous de girofle moulus

ou muscade

ou graine d'anis étoilé entière

ou menthe

250 ml [1 tasse] de fruits séchés (mangues, poires, abricots, pommes, ananas, bananes ou un mélange de plusieurs de ces fruits)

AU CAMP

♦ Faire fondre la cassonade ou le sucre dans l'eau bouillante en remuant, avec l'une ou l'autre épice au goût ou un peu de menthe. Laisser réduire encore 5 minutes à feu doux.

♦ Monter le feu et ajouter les fruits. Baisser à nouveau le feu et laisser cuire 5 minutes. Retirer du feu et laisser tiédir au moins 20 minutes avant de servir.

Bleuets enrobés de chocolat

La préparation de cette spécialité du lac Saint-Jean, d'une simplicité enfantine, est un succès garanti auprès de tous les convives de 3 à 103 ans.

tablettes de chocolat

cueillette de bleuets

AU CAMP

♦ Faire fondre le chocolat dans une petite casserole à feu doux. Lorsqu'il est onctueux, ajouter les bleuets de sorte que chaque bleuet soit enrobé de chocolat.

♦ Déposer par cuillérée le contenu de la casserole sur une plaque ou une assiette en étalant un peu chaque cuillérée. Laisser refroidir au moins 1 heure par temps frais… et croquer !

Boissons

Lac Ernie, Lanaudière, 2008
Photo : Daniel St-Pierre

Café *cowboy*

4 portions
(calculer 500 ml ou 2 tasses par personne)

Le café **cowboy** est celui qui requiert le moins de quincaillerie. C'est une version « Far West » du café turc, qui infuse, tout simplement.

> 125 ml [½ tasse] de café moulu expresso n° 2
> 2 l [8 tasses] d'eau bouillante

AU CAMP

• Faire bouillir l'eau dans une casserole. Retirer la casserole du feu et verser le café qui sombre lentement dans l'eau.

• Remettre la casserole sur le feu et laisser bouillir à nouveau de 2 ou 3 minutes. Retirer à nouveau du feu et laisser reposer près d'une pierre chaude, couvert, pour ne pas perdre la chaleur.

• Après 5 à 10 minutes, cogner tout le tour de la casserole avec une cuillère pour faire descendre le marc de café au fond. Attendre encore quelques minutes.

• Servir le café en puisant à la surface avec une louche ou une tasse disponible. Éviter les remous !

Bouillon réconfortant

4 à 6 portions

Ce bouillon nourrit et réchauffe lors des sorties d'hiver et tôt au printemps. Il peut aussi servir de base pour une soupe. On ajustera les assaisonnements au goût.

> 1 boîte de consommé de bœuf [10 oz]
> 250 ml [1 tasse] d'eau
> 1 boîte de jus de tomates [19 oz]
> le jus d'une grosse orange (environ 200 ml)
> 1 pincée de poudre d'ail
> 1 pincée de poudre d'oignon
> 7 ml [½ c. à soupe] de beurre
> 3 ml [½ c. à thé] de sauce Worcestershire
> persil séché et poivre au goût

À LA MAISON

• Mélanger tous les ingrédients dans un chaudron. Porter à ébullition. Verser dans des thermos.

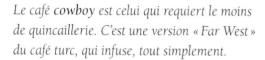

Chic Chocs, 2005
Photo : Sylvie Michaud

Caipirinha

10 portions

Un petit semblant de vacances tropicales lors d'une expédition nordique! La caipirinha, à base de cachaça brésilienne, est un excellent apéro et accompagne aussi très bien les poissons crus ou très frais. On peut en faire une délicieuse version sans alcool pour les enfants qui pourront trinquer avec les grands. Saravá!

    500 ml de cachaça
    160 ml [⅔ tasse] de sucre brun ou cassonade
    10 limes

AU CAMP

◆ Pour chaque personne, couper en quartiers et presser une lime directement dans chaque verre avec un mortier ou une petite pierre. Ajouter une généreuse cuillérée à soupe de sucre, mélanger. Arroser de 50 ml [¼ tasse] de cachaça, sauf pour les enfants. Normalement, on devrait y ajouter des glaçons pilés. La présence de cet élément dépendra donc de la saison ou de la latitude sous laquelle on se trouve!

Chaï indien ou thé Masala

8 personnes

Le Chaï est un thé indien assaisonné et bien anglais avec un nuage de lait. On le sert après le repas ou pour se réchauffer au coin du feu.

    3 sachets [3 c. à soupe] de thé noir
    5 ml [1 c. à thé] de cannelle
    12 clous de girofle
    8 capsules de cardamome verte
    4 capsules de cardamome noire
    1 l [4 tasses] d'eau

Menus types

À la lecture des recettes, on a déjà pu présumer lesquelles sont particulièrement appropriées à des conditions de voyage difficiles. Des menus types ont quand même été conçus pour faciliter la tâche du lecteur dans la composition de ses propres menus. Ces menus types suggèrent la planification des recettes incluses dans ce livre dans le contexte le plus opportun possible, soit en fonction des contraintes saisonnières, de poids et de conservation. D'autres plats ou produits du commerce complètent les grilles des menus proposés.

Trois jours l'été en camping fixe

	Déjeuner	Dîner	Souper
Jour 1	Muffins aux bananes et au chocolat	Salade de fenouil, de pignons et de canneberges Carrés aux figues et au whisky	Couscous royal Bleuets enrobés de chocolat
Jour 2	Pain doré	Maquereaux au vin blanc Salade d'arroche Biscottes Gâteau aux carottes	Churrasco Salade mixte Têtes de violon aux noisettes Biscottis aux amandes
Jour 3	Œufs à la coque Pain grillé Confiture	Terrine aux épinards et au maïs Papaye et proscuitto Tomme de chèvre	Saganaki Brochettes style satay Riz au jasmin Pain aux figues et aux noisettes

Note : L'utilisation de caractères gras indique que la recette de ce plat se retrouve dans le livre.

Trois jours l'hiver en randonnée sac au dos

	Déjeuner	Dîner	Souper
Jour 1	Céréales granolas maison Lait (en poudre)	Pita au thon, tomates séchées et mayonnaise Fromage parmesan **Barres Muësli**	Soupe de courge, de patates douces et de lentilles orange ⊙ **Spaghetti sauce à la viande** ⊙ **Riz au lait et à la cardamome** **Chaï indien**
Jour 2	**Petits gâteaux aux pommes et aux pacanes** ⊙	**Jerky de saumon** ⊙ Pain de seigle Fromage emmenthal Noix et fruits séchés	**Soupe thaïe** repas ⊙ **Barres aux abricots**
Jour 3	Gruau Fruits séchés	**Pain Logan** Fromage gouda **Boules de dattes et de pistaches**	**Velouté de panais** ⊙ **Lentilles du Puy au hachis de lardons** **Biscuits à l'avoine**

⊙ Indique les plats exigeant déshydratation

Une semaine l'été en camping fixe, en kayak de mer ou en canot-camping

	Déjeuner	Dîner	Souper
Jour 1	Yogourt Fruits frais	**Terrine d'orge** Crudités **Pain aux figues et aux noisettes**	**Sushi et sashimi** **Grillades** Légumes en papillottes Salade de fruits
Jour 2	Œufs et bacon Pain Confiture et sirop d'érable	**Salade de mangues et d'avocats** Craquelins Baklavas	**Crème de bolets** **Filets de poisson amandine** **Purée d'oseille** ou **Moules marinières** Pommes de terre **Gâteau mexicain au chocolat**
Jour 3	**Galette de maïs** Sirop d'érable	**Dukkah** Pita et huile d'olive **Caviar d'aubergine** Feuilles de vigne farcies Fruits frais	**Ceviche** **Poulet au beurre à l'indienne** Riz basmati **Pain « nan-banique »** Fondue au chocolat

	Déjeuner	Dîner	Souper
Jour 4	Omelette	Salade de pâtes au crabe et au curry Boules de dattes et de pistaches	Soupe aux coques Pizza au saumon fumé Brownies
Jour 5	Scones aux canneberges	Couscous en taboulé Biscuits à l'avoine	Soupe de betteraves Croquettes de morue Purée de courges Riz sauvage et maïs Pruneaux au vin rouge
Jour 6	Crêpes de sarrasin Miel et reste de pruneaux au vin rouge	Salade de haricots rouges Boules aux figues et au whisky	Soupe de poisson (achigan) Pâtes à la *putanesca* Pain au citron et au pavot
Jour 7	Baniques individuelles aux petits fruits	Salade de betteraves et de pommes Craquelins Plateau de fruits séchés	Chanterelles poêlées au beurre Jambalaya ⊙ Pralines aux pacanes

⊙ Indique les plats exigeant déshydratation

Une semaine l'hiver en camping fixe ou en refuge avec petit poêle à bois

	Déjeuner	Dîner	Souper
Jour 1 À la veille du départ			Soupe Minestrone du commerce **Jambon bouilli** Pommes de terre Tarte aux fruits du commerce
Jour 2	Œufs et bacon Pain Confiture de pimbina	**Jambon** (restes) Pain de seigle et moutarde Fromage Tonneau de Suisse Dattes et chocolat	**Potage aux lentilles** **et aux pommes** **Raclette** **Pain aux figues et aux noisettes**
Jour 3	**Galette de maïs** Beurre Sirop d'érable	**Bouillon réconfortant** Sandwiches au **magrets de canard séchés** Cornichons Fromage romano Fruits séchés	**Soupe aux pois** **Sauté de veau aux carottes** ◉ **ou** ◉ **Nouilles** **Oranges givrées**
Jour 4	Crème de blé aux bleuets et cerises	**Jerky de tofu** ◉ Fromage parmesan Bonbons aux arachides	**« Trio indien » : Dhal** **Chutney à la mangue** ◉ **Crevettes sauce** **au lait de coco** ◉ **Barres aux abricots**

	Déjeuner	Dîner	Souper
Jour 5	Pain grillé Petits fruits Sirop d'érable	**Pemmican** ⊙ Fromage mimolette Cajous et chocolat	**Soupe thaïe** ⊙ **Graavlax** **Pralines aux pacanes**
Jour 6	Gruau et fruits séchés	**Graavlax** (restes) Craquelins Fromage crémeux Roulés aux fraises	**Soupe de courge, de patates douces et de lentilles orange** ⊙ **Pâté chinois** ⊙ Ketchup **Poires sauce sucrée** ⊙ **Biscottis aux amandes**
Jour 7	**Yogourt** **Céréales granolas** **maison** Raisins secs Sirop d'érable	**Végé-pâté** Pita Tome de brebis Noix et pommes séchées	Sortie!

⊙ Indique les plats exigeant déshydratation

⊙ Indique les plats congelés

Un mois l'été en canot-camping

	Déjeuner	Dîner	Souper
Jour 1 À la veille du départ			Soupe de légumes en sachet Rôti de bœuf Légumes en papillottes Crème brûlée
Jour 2	Œufs et bacon Pain frais et confiture	**Caviar d'aubergine** Pita Olives et crudités Halva (pâte sucrée de sésame du commerce)	**Soupe à l'oignon** **Gigot d'agneau** Salade de tomates Haricots verts Salade de fruits frais
Jour 3	**Muffins aux bananes et au chocolat**	**Couscous en taboulé** Fromage crotonese **Barres Muësli**	Crème de poireau en sachet **Truites mouchetées sur roches chaudes** Nouilles au beurre et à l'ail **Gâteau aux carottes**
Jour 4	Crêpes nature Sirop d'érable	Prosciutto Cantaloup séché Fromage oka	Potage Crecy en sachet **Pâtes à la putanesca** **Bleuets enrobés de chocolat**
Jour 5	**Céréales granolas maison** Lait	Olives Bulghur aux tomates et au thon Figues	Soupe de légumes en sachet Saucisses grillées Couscous aux amandes **Chanterelles poêlées au beurre** **Pruneaux au vin rouge** et à la crème

	Déjeuner	Dîner	Dîner
Jour 6	**Galette de maïs** Restes de **pruneaux au vin rouge**	**Salade de pâtes au crabe et au curry** ◉ Chocolat	Soupe de poisson (brochet) Truites à la poêle **Tian de légumes** ◉ **Riz au lait et à la cardamome**
Jour 7	Millet aux pommes et au miel	**Salade de brochet** Fromage munster Pain de seigle Abricots secs et amandes	**« Trio indien » Dhal** **Chutney de mangue** ◉ **Crevettes sauce au lait de coco** ◉ Chocolat
Jour 8	**Crêpes de sarrasin** Sirop d'érable	**Salade de lentilles germées et de carottes râpées** ◉ Biscottes Pailles au fromage	**Soupe aux coques** ◉ **Sauté de veau aux carottes** ◉ Riz basmati **Ananas sauce sucrée** ◉
Jour 9	Crème de blé Compote de petits fruits ◉	Salade de céleri-rave râpé ◉ Viande de grison Pita Bonbons de raisins au yogourt	**Soupe de betteraves** ◉ **Lentilles du Puy au hachis de lardons** **Pralines aux pacanes**
Jour 10	**Scones aux canneberges** Confiture	**Couscous en taboulé** Pita Fromage bleu **Barres aux abricots**	Soupe bœuf et légumes en sachet **Risotto aux champignons sauvages** Mousse au chocolat du commerce

◉ Indique les plats exigeant déshydratation

	Déjeuner	Dîner	Souper
Jour 11	**Banique** fourrée à la crème de marrons	Viande de grisons Salade de carottes et betteraves râpées ⊙ Craquelins Loukoums	**Soupe au pois** Linguine au proscuitto **Biscottis aux amandes**
Jour 12	**Pain au citron et au pavot**	**Banique au carvi** Fromage gouda Cachous	Soupe au cerfeuil en sachet **Filets de touladi amandine** Purée de pommes de terre et parmesan **Mangue sauce sucrée** ⊙
Jour 13	Céréales Roesti Confiture	**Poisson fumé à l'érable** (touladi) Pain noir Tomme de chèvre Fruits séchés et chocolat	Crème de champignon en sachet Poisson du jour **Purée de courges** ⊙ Crème caramel du commerce
Jour 14	Crêpes aux bleuets	**Pâtes aux pacanes** Dattes et chocolat	Crème de céleri en sachet **Bacalhau** ⊙ **Bleuets enrobés de chocolat**
Jour 15	**Petits gâteaux aux pommes et aux pacanes** Miel	**Jerkey de poulet** ⊙ Pain de seigle Fromage mimolette Noix et figues	Soupe Minestrone en sachet Truites fraîches poêlées **Polenta aux tomates séchées et au parmesan** Pouding *butterscotch* instant

	Déjeuner	Dîner	Souper
Jour 16	**Polenta grillée** Fromage Petits fruits	**Salade de betteraves et de pommes** ⊙ Craquelins Fromage emmenthal	**Velouté de carottes** ⊙ (voir Velouté de panais) **Moussaka** ⊙
Jour 17	**Céréales granolas maison** *Yogourt* Fruits séchés	Pâtes aux anchois, aux câpres et aux olives Noix et gingembre séché	Crème d'asperges en sachet **Gnocchis sauce tomate** ⊙ Biscuits du commerce
Jour 18	Gruau Confiture	**Ceviche** (truite fraîche) Biscottes **Salade de carottes râpées et de luzerne germée** ⊙	**Potage aux lentilles et aux pommes** **Poulet au beurre à l'indienne** ⊙ Riz blanc Compote de poires à la cannelle
Jour 19	**Banique** aux canneberges et raisins	Purée de pois chiches au cumin Craquelins **Biscottis aux amandes**	*Caipirinha* **Crème de bolets** **Graavlax** de truite Biscuits aux figues
Jour 20	Crème de blé Confiture	Restes de **Graavlax** Saucissons Biscottes Fromage Cantonnier	Soupe Minestrone en sachet **Filets de truites amandine** Quinoa aux champignons Mousse à la vanille du commerce

	Déjeuner	Dîner	Souper
Jour 21	**Banique** aux bleuets et à la chicoutai	**Truite fumée au thé** Pain de seigle Fruits séchés et noix	Soupe poulet et nouilles en sachet **Aubergines au parmesan** ◉ **Polenta** **Bananes sauce sucrée**
Jour 22	**Polenta grillée** Confiture	Prosciutto et poires séchées Fromage aurecchio Barres granola	Crème de champignons en sachet **Sushi de truite** Pommes en compote
Jour 23	Muesli Lait Fromage cheddar	**Riz sauvage et maïs** ◉ en salade **Jerkey de bœuf** ◉ Halva (de pâte de sésame)	Soupe de légumes en sachet **Spaghetti sauce à la viande** ◉ Bonbons de raisins au yogourt
Jour 24	**Banique** aux bleuets et à la muscade	**Sashimi** d'omble arctique **Salade de haricots rouges**	Salade de fèves mungo germées et de raisins secs **Jambalaya**
Jour 25	Crème de blé Confiture	Prosciutto et melon séché Fromage parmesan Chocolat et noix	Bouillon de bœuf et légumes **Pâtes aux pacanes** Mousse au chocolat du commerce
Jour 26	Pain de seigle Nutella	Saucisson sec et pain de seigle Fromage salé libanais **Biscuits à l'avoine**	Sortie au resto !

Remerciements

Je tiens à remercier Nathalie Dumouchel, cuisinière hors pair, qui a fourni le quart des recettes de ce livre et quelques principes de base concernant la cuisine en plein air, domaine qu'elle connaît au bout de ses louches et qu'elle a enseigné. Je veux remercier aussi Sylvie Michaud, compagne d'expédition grâce à qui le contenu des gamelles n'est plus ce qu'il était. Elle signe quelques photos et une vingtaine de recettes dans ce livre qu'elle a livrées avec autant de minutie que de générosité. D'autres bons cuisiniers ont contribué à la confection de ce livre en livrant leurs recettes et leur enthousiasme, et je les en remercie grandement : Fabien Nadeau, Lucie Cloutier, Lyne Bujold, Marie-Geneviève LeBrun, Daniel St-Pierre, Marylou Smith et Josée Kaltenback. Merci aux photographes Érik Lalancette, Lyne Bujold, Maxime Cousineau, Martine Filion et Gérald Jean, Jean-François Charron, Pierre Boesiger, Julie Constantineau et Roger Fafard, Jean-François Déziel, Marcel Guilbault, Pierre LaRue et Josée Paquette, Maude Saucier, Frédéric Le Coz et Marylou Smith, Dominick Lauzon, à Marie-Geneviève LeBrun pour sa révision éclairée des textes et des contenus et à Isabelle Piette pour ses bons conseils. Certains plats de service et assiettes sur lesquels sont présentés les mets sont les œuvres des céramistes Catherine Auriol, Noël de Courval, Daniel Gingras, Don Goddard, Jano Le Coz, Jeanne Paré et Marko Savard.

Bibliographie

ASSINIWI, Bernard, *Recettes indiennes et survie en forêt*, Leméac, 1972.

BERNARD, Harry, *Portages et routes d'eau en Haute-Mauricie*, Éditions du Bien Public, Trois-Rivières, 1953.

BOBILLIER, M., *Une Pionnière du Yukon, madame Émilie Tremblay : La première femme blanche qui franchit la Chilcoot Pass, D'après ses souvenirs*, Publications de la Société Historique du Saguenay, Chicoutimi, 1948.

BOUCHARD, Serge, *Chroniques de chasse d'un Montagnais de Mingan Mathieu Mestokosho*, Série Cultures amérindiennes, Ministère des Affaires culturelles, 1977.

CARTIER, Jacques, *Voyages au Canada*, François Maspero, Paris, 1981.

CAVELIER DE LA SALLE, *Une épopée aux Amériques, Récits de trois expéditions 1643-1687*, Textes édités par Pierre BERTHIAUME, Cosmopole, 2006.

CHARLEVOIX, Père de la Compagnie de Jésus, *Journal d'un voyage fait par ordre du Roi dans l'Amérique septentrionale*, Tome sixième, Paris, chez Rollin et fils, 1744.

CHEVALIER DE TROYES, *Journal d'expédition à la Baie d'Hudson, en 1686*, édité et annoté par l'abbé Ivanhoe CARON, Beauceville La Compagnie de « l'Éclaireur » Éditeur, 1918.

COMBET, Denis, *À la recherche de la mer de l'Ouest Mémoires choisis de La Vérendrye*, Great Plains Publications/Les Éditions du Blé, Winnipeg/Saint-Boniface, 2001.

COMEAU, Napoléon-A., *La vie et le sport sur la Côte Nord*, Éditions Garneau, 1945.

DUMAIS, Odile, *La gastronomie en plein air*, Éditions Québec Amérique, 1999.

FLEURBEC, *Plantes sauvages comestibles*, Fleurbec, Saint-Henri-de-Lévis, 1981.

FLEURBEC, *Plantes sauvages du bord de la mer*, Fleurbec, Saint-Augustin (Portneuf), 1985.

FOURNIER, Georges, *Hydrographie contenant la théorie et la pratique de toutes les parties de la navigation*, 1643.

INSTITUT DE PLEIN AIR QUÉBÉCOIS, *Du pique-nique à l'expédition Guide d'alimentation en plein air*, IPAQ, Rivière-du-Loup, 1986.

KALM, Pehr, *Voyage de Pehr Kalm au Canada en 1749*, Traduction annotée du journal de route par Jacques ROUSSEAU et Guy BÉTHUNE, Pierre Tisseyre, Montréal, 1977.

KEPHART, Horace, *Camp Cookery*, Algrove Publishing Limited, Almonte Ontario, 2003, Originally printed in 1910.

LACOURSIÈRE, Jacques et Hélène-Andrée BIZIER, *Nos Racines, l'histoire vivante des Québécois*, Saint-Laurent, Éditions TLM, Robert Laffont, 1979-1982.

LAHONTAN, Louis-Armand de Lom d'Arce, baron de Lahontan, *Œuvres complètes*, Édition critique par Réal Ouellet, Les Presses de l'Université de Montréal, 1990 ; Édition originale, La Haye, 1703.

LAMBERT, Michel, *Histoire de la cuisine familiale du Québec*, vol. 1 : Ses origines autochtones et européennes de la préhistoire au XIXᵉ siècle ; vol. 2 : La mer ses régions et ses produits, Les Éditions GID, Québec, 2006.

Père LE JEUNE, Paul, *Relations des Jésuites 1611-1636 contenant ce qui s'est passé de plus remarquable dans les missions des Pères de la Compagnie de Jésus dans la Nouvelle-France*, Éditions du Jour, Montréal, 1972.

LITALIEN, Raymonde, Jean-François PALOMINO et Denis VAUGEOIS, *La mesure d'un continent, Atlas historique de l'Amérique du Nord 1492-1814*, Les éditions du Septentrion, Montréal, 2008.

Frère MARIE-VICTORIN, *Croquis laurentiens*, Éditions Fides, 1982 ; Édition originale, 1920.

MARION, Séraphin, Relations des voyageurs français en Nouvelle France au XVIIe siècle, PUF, Paris, 1923.

NAPPAALUK, Mitiarjuk, *Sanaaq*, roman écrit dans les années 1950 et traduit de l'Inuktitut par Bernard Saladin D'Anglure, Les Éditions internationales Alain Stanké, 2002.

ORMOND, Clyde, *Outdoorsman's Handbook*, Popular Science Publishing Company, Inc., A Times Mirror Subsidiary, New York, 1970.

PUYJALON, Henri de, *Guide du chasseur de pelleterie*, Pierre J. Bédard, Éditeur, Montréal, 1893.

RADISSON, Pierre-Esprit, *Journal 1682-1683*, Les débuts de la Nouvelle-France Stanké, 1979.

ROYAL, Joseph, *La Vallée de la Mantawa : récit de voyage*, Montréal : Typographie le Nouveau-Monde, 1869.

SAGARD, Gabriel, *Le Grand voyage du Pays des Hurons*, texte établi par Réal Ouellet, BQ, 1990 ; Édition originale, Paris, 1632.

SÉGUIN, Robert-Lionel, *Récits de forestiers*, Centre documentaire en civilisation traditionnelle de l'Université du Québec à Trois-Rivières, 1973.

Crédits photographiques

Page 9 • Frances Anne Hopkins, *Voyageurs franchissant une cascade en canot*, 1869 ; huile sur toile, 152,4 × 73,7 cm [Bibliothèque et Archives Canada, Fonds Frances Anne Hopkins (n° d'acc. 1989-401-1)]

Page 15 • D'après Bartlett, « A Forest Scene », dans *The Canadian Illustrated News*, 12 février 1870, p. 233 [Bibliothèque et Archives nationales du Québec, Collections numériques]

Page 16 • Napoléon-Alexandre Comeau sur le seuil d'une porte, *ca* 1900 [Société historique de la Côte-Nord, Fonds Napoléon-Alexandre Comeau (cote P020/001/009 (9)]

Page 19 • Touristes américains dans une automobile, Ottawa (Ontario), 1925 [Musée McCord ; photographe anonyme (cote MP-0000.25.1036)]

Page 21 • Archibald Bruce Stapleton, *Radisson et Desgroseilliers établissant le commerce des fourrures dans le Nord-Ouest, 1662*, 1917-1950 ; aquarelle, 44 × 72 cm [Musée McCord (cote M993.154.313)]

Page 22 • Cornelius Krieghoff, *Portage*, 1865 ; peinture, 5,6 × 8,5 cm [Musée McCord ; photo : Associated Screen News Ltd (cote I-14879.1)]

Pages 24-25 • Draveurs debout sur des billots flottant sur une estacade, Ignace (Ontario), 1909 [Bibliothèque et Archives nationales du Québec, Centre de l'Outaouais — BAnQ-Outaouais ; photographe anonyme (cote P5,S4,D48)]

Pages 24-25 • Travailleurs prenant leur repas dans une cuisine de chantier, Papeterie Price, Chandler, après 1900 [Bibliothèque et Archives nationales du Québec — Centre d'archives du Saguenay-Lac-Saint-Jean, Fonds de la Compagnie Price Brothers ; photo : Malak Photographs Ltd, Ottawa (cote P666, S12, SS11, D64 P848)]

Page 30 • « The Spring Freshet », dans *The Canadian Illustrated News*, 22 avril 1871, p. 253 [Bibliothèque et Archives nationales du Québec, Collections numériques]

Page 34 • Cuisine au camp, Revillon Frères Trading Company Ltd (Ontario ?), *ca* 1920 [Musée McCord, Archives photographiques Notman ; photo : Samuel Herbert Coward (cote MP-1976.24.87)]

Page 37 • Paolo Fumagalli, d'après Giuseppe Bramati, d'après Nicolas De Fer, *La pêche à la morue dans le Grand Banc et les côtes de Terre-Neuve*, 1820 ou 1827 ; lithographie, 19,9 × 26 cm [Musée national des beaux-arts du Québec ; achat ; photo : Jean-Guy Kérouac (n° d'inventaire 55.543)]

Page 38 • John David Kelly, *Pierre de la Vérendrye sur le cours supérieur de la rivière Saint-Maurice, 1725*, 1910-1950 ; encre sur papier, 31,3 × 39,9 cm [Musée McCord (cote M993.154.75)]

Page 43 • Jean-Baptiste Franquelin, *Partie de l'Amerique septentrionalle ou est compris la Nouvelle France, Nouvelle Angleterre, N. Albanie, et la N. Yorc, la Pensilvanie, Virginie, Caroline, Floride, et la Louisiane, le golfe Mexique, et les isles qui le bordent a l'orient, etc.*, 1699 ; cartouche de la carte manuscrite [Bibliothèque du service historique de la Marine, Vincennes, France (Recueil 66, n° 20-23)] ; tiré de Raymonde Litalien, Jean-François Palomino et Denis Vaugeois, en coll. avec Bibliothèque et Archives nationales du Québec, *La mesure d'un continent. Atlas historique de l'Amérique du Nord, 1492-1814*, Sillery, Éditions du Septentrion, 2008, p. 105.

Page 56 • Artiste anonyme, *Femmes et enfants iroquois*, 1664 ; gravure sur cuivre, 193 × 142 cm ; dans François Du Creux, s.j., *Historiæ canadensis, sev Novæ-Franciæ libri decem*, ad annum usque Christi MDCLVI, Paris, Apud Sebastianum Cramoisy et Sebast. Mabre-Cramoisy, 1664 [Bibliothèque et Archives Canada, Collection de livres rares (cote F5057 D79 fol. P. 22)]

Page 65 • Le frère Marie-Victorin et le chardon de Minganie, *ca* 1926 [Université de Montréal, Service de la gestion des documents et des archives, Fonds de l'Institut botanique (cote E0118 • 5FP09843)]

Page 68 • D'après une esquisse de C. Kendrick, « Deer Hunting in the Canadian Forest. In Camp on a Rainy Day » ; estampe ; dans *The Canadian Illustrated News*, 28 décembre 1872, p. 405 [Bibliothèque et Archives Canada, Collection de livres rares (nᵒ Mikan 2942156)]

Page 75 • *The Pie Makers*, Chantier Price, Dépôt du lac Onatchiway, Rivière Shipshaw, 1947 [Bibliothèque et Archives nationales du Québec — Centre d'archives du Saguenay-Lac-Saint-Jean, Fonds de la Compagnie Price Brothers ; photo : Myron Ehrenberg (cote P666,S12,SS11, D64,P1704)]

Page 133 • Egevadluq Ragee, *Femme tenant des poissons*, 1977 ; encre sur papier, lithographie, 37,9 × 47,3 cm [Musée McCord (cote M985.137.1)]

IStockphoto : 8, 10, 17, 24, 31, 39, 48, 53, 54, 55, 58, 61, 62, 73, 84, 93, 94, 95, 98, 112, 121, 132, 156, 164, 159, 174, 187, 188, 190, 192, 194.

Photo : Sylvie Michaud

Table des recettes

Les guides nature chez Fides

  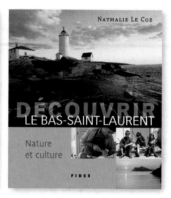  

ACHEVÉ D'IMPRIMER SUR LES PRESSES
DE L'IMPRIMERIE TRANSCONTINENTAL
AU MOIS D'AVRIL 2009
QUÉBEC (CANADA)